世界遺産の五〇年

文化の多様性と日本の役割

松浦晃一郎
岩槻邦男
五十嵐敬喜
西村幸夫

BOOKEND

世界遺産の五〇年

文化の多様性と日本の役割

目次

世界遺産条約五〇年の歩み　9
松浦晃一郎

日本の文化遺産の三〇年——世界の潮流の中で
暫定一覧表の改訂を中心に　73
西村幸夫

日本の自然遺産二〇二二年　125
岩槻邦男

世界遺産と「日本の文化論」　183
五十嵐敬喜

座談会
日本の世界遺産の歴史と未来像　文化の多様性と日本の役割
松浦晃一郎・岩槻邦男・五十嵐敬喜・西村幸夫
237

巻末資料
世界遺産関連年表／用語解説
藤岡麻理子
i

まえがき

本年二〇二二年は、一九七二年にユネスコの締約国会議において世界遺産条約が採択されてから五〇年、さらに日本が一九九二年に世界遺産条約を批准して三〇年という節目の年である。この記念すべき機会に、世界遺産に直接間接に関わりの深い松浦晃一郎（第八代ユネスコ事務局長）、岩槻邦男（兵庫県立人と自然の博物館名誉館長・東京大学名誉教授）、五十嵐敬喜（弁護士・法政大学名誉教授）、西村幸夫（國學院大學教授・東京大学名誉教授）の四名がそれぞれの立場から世界遺産の現在とこれまで、そしてこれからを論じたのが本書である。

私たち四名は日本の世界遺産についての諸課題を自由な立場で議論し、健全な展開につなげることを目指して二〇〇八年に「逞（つよ）い文化を創る会」を立ち上げ、爾来、定期的に会合を持ち、主として国内の世界文化遺産登録資産と登録を目指す資産に関して、その顕著な普遍的価値のあり方について議論を積み重ねてきた。その成果は九冊の「世界遺産・未来の世界遺産シリーズ」（ブックエンド社）ほかの出版物にまとめられている。

逞い文化を創る会の一五年間にわたる活動のひとつの総括として、世界遺産の五〇年をひろく展望し、日本の文化遺産と自然遺産の三〇年の動きを振り返り、さらに日本文化論として、それぞれの世界遺産との関わりをもとに論じている。

ユネスコ事務局長として、あるいは日本の世界自然遺産候補地に関する検討会座長として、あるいは稼働資産を含む産業遺産に関する有識者会議メンバーとして、あるいは日本イコモス国内委員会の委員長として、そしてなによりも公正で独立したひとりの専門家として、世界遺産をめぐる日本と世界の動きにさまざまなかたちで関わってきたメンバーによる、それぞれの立場における現時点での証言でもある。もちろん、世界遺産の動きは今後も続いていくので、ここでの言説は今後も更新され続けていくことになるが、五〇周年+三〇周年という節目に、本書を取りまとめることにも意義があると考える。

本書はまた、自然と文化を統合し文化の多様性を称揚する今後の世界遺産へ向けたエールでもある。本書のさまざまな論点が、世界遺産システムのさらなる前進・深化に寄与することを願いつつ。

西村幸夫

世界遺産条約五〇年の歩み

松浦晃一郎

はじめに

二〇二〇年、中国で開かれることになっていた世界遺産の新規登録や保存状況の審査等が行われる世界遺産委員会*は新型コロナウイルス感染症の世界的な広がりのため、開催が延期された。二〇二一年には中国福建省福州市をベースとして、オンラインで世界遺産委員会が開催され、二〇二〇年と二〇二一年それぞれに各国から推薦された世界遺産の候補案件が審議された。そして三四件の世界遺産が新しく誕生し、世界遺産の合計は一一五四件となった。その内訳は文化遺産八九七件、自然遺産二一八件、複合遺産*三九件となっている【註1】。

世界遺産条約（正式名称は「世界の文化遺産および自然遺産の保護に関する条約」）が採択されたのは一九七二年一一月パリで開かれたユネスコ総会においてであり、二〇二二年はちょうど世界遺産条約採択五〇周年にあたる。

ユネスコは国際連合の専門機関の一つで、文化、教育、社会科学、自然科学、コミュニケーションを担当している。これら五分野において、全体で三〇以上の条約を採択しているが、その中で最も締約国が多いのが世界遺産条約で、現在一九四か国に達している。この数字が示しているように世界的に一番人気があり、かつ一番高く評価されているのが世界遺産条約と言える。

ユネスコの加盟国は一時一九五か国にのぼったが、二〇一八年末にアメリカとイスラエルが脱退したため、一九三か国に減った【註2】。幸い両国とも世界遺産条約への加盟は継続し、またユネスコには加盟していないバチカン市国も世界遺産条約には加盟している。しかし、ユネスコ加盟国の中でも南太平洋の島国ナウルとツバルはまだ加盟していないので、世界遺産条約締約国は一九四か国となっている。

＊印は巻末の用語解説に取り上げた項目を示す

註1　二〇二二年はロシアのタタールスタン共和国カザンで開催予定であったが、ロシアのウクライナ侵攻を受けて中止となった。
註2　アメリカとイスラエルは、ユネスコがアラブ諸国とイスラエルとの関係において政治的にアラブ諸国寄りの態度だと批判して、脱退した。

第一章　世界遺産条約誕生に至る経緯

ハーグ条約からヴェネツィア憲章へ

一九四五年一一月にユネスコ憲章が採択され、二〇か国の批准を経てその一年後に憲章が発効し、ユネスコが活動を始めた。ユネスコ憲章第一条には、ユネスコの文化関係の任務として、「世界の遺産である図書、芸術作品ならびに歴史的および科学の記念物の保存および保護を確保し、かつ、関係諸国民に対して必要な国際条約を勧告する」と記されている。そしてユネスコが最初に力を入れたのは、第二次世界大戦時に多くの国で人類の文化遺産が破壊されたことへの反省から、戦争を含む武力紛争時において文化遺産を保護する条約の作成であった。

その見地から、一九五四年に「武力紛争の際の文化財の保護に関する条約（ハーグ条約）」が採択された。同条約の前文には「各人民が世界の文化にそれぞれ寄与していることから、いずれの人民に属する文化財に対する損傷も全人類の文化遺産に対する損傷を意味する」とあり、続けて「文化遺産の保存が世界のすべての人民にとって極めて重要であることおよび文化遺産が国際的な保護を受けることが重要である」と強調されている。これがまさにハーグ条約の主目的である。

さらに、武力紛争時に文化遺産を破壊から守るだけではなく、常時人類の文化遺産をしっかり保全する必要性を提唱する声も高まり、一九六四年にはユネスコが協力して、歴史的記念建造物の保全を推進するために、主として西欧の専門家による国際会議（第二回歴史記念建造物に関わる建築家技術者国際会議）がヴェネツィアで開かれ、「記念物および遺跡の保存と修復に関する国際憲章」（一般にヴェネツィア憲章で知られる）が作成された。

ヴェネツィア憲章の目的を達成するために、歴史的建造物や遺跡の専門家らからなる国際的ＮＧＯ国際記念物遺跡会議（イコモス）*が一九六五年に結成された。イコモスは当初、西欧の専門家を中心に構成されていたが、その後特に世界遺産条約の採択後は、西欧以外の国々の専門家が参加するグローバルネットワークに育っている。現在は世界遺産条約のもとでの新規の文化遺産および複合遺産の登録候補案件について、専門的見地から技術的、学術的評価を行う重要な役割を果たしている。

ヌビア遺跡群の救済キャンペーン

一九五〇年代から一九六〇年代の以上のような動きと並行して、エジプトのナセル大統領によって一九六〇年に着工されたナイル川のアスワン・ハイ・ダム建設も一つの転機となった。エジプト政府の計画では、エジプト王朝時代のアブ・シンベル神殿（紀元前一二五〇年頃ラムセス二世により建設）を中心とするヌビア遺跡群はダム建設によりそのまま水没することになっていたため、それらを救うための国際的な運動が展開された。

当時私は、外務省経済局で中近東およびアフリカ（旧英領を除く）を担当する課に籍を置いていたが、人類の文化遺産保全をめぐる国際社会の動きについては全く承知していなかった。一九六四年四月に外務省が日本の経済界で活躍するメンバーを、北アフリカ六か国（モロッコ、アルジェリア、チュニジア、リビア、エジプト、スーダン）に派遣した際、世話係として同行した。アルジェリアでは首都のカスバ、チュニジアではカルタゴ文明の遺跡、さらにエジプトのカイロ郊外にあるピラミッドやスフィンクスなどを訪問した。そしてエジプトでの最後の日程にアスワン・ハイ・ダム建設中の工事現場も視察し、その上流にあったアブ・シンベル神殿が国際的なキャンペーンによって、水没予定地域から移設されることになった経緯を初めて知ることになった。

このキャンペーンの先頭に立ったのは、ユネスコのルネ・マウ第五代事務局長であった。マウ事務局長はヴェネツィア憲章とヌビア遺跡群救済キャンペーンを踏まえて、ハーグ条約のように武力紛争から文化遺産を守るだけでは不十分で、あらゆる脅威から常時文化遺産を守り、大事に保全する条約の必要性を痛感し、世界遺産条約の創設準備に着手した。

ユネスコの動きと並行するかたちで、アメリカが中心になって自然環境を保護するための条約をつくる作業が開始した。これに協力したのは、ユネスコが支援して一九四八年に設立され、一九五六年に名称がＩＵＣＮ（国際自然保護連合）*となった国際的組織である。その動きを察知したマウ事務局長は、フランスの強力な支持を得て、それまで文化遺産中心に考えてきた世界遺産条約に自然環境を加えた二本立ての世界遺産条約にすることで準備を進めることにした。幸い一九七二年のユネスコ総会の直前に、スウェーデンのストックホルムで開催された国連人間環境会議において、両者の統合に賛成する意見が多く寄せられたため、最終的にはアメリカもこれに同意した。ユネスコは文化に加え自然科学も担当しているので、ユネスコが推進する世界遺産条約が自然環境も対象にすることはユネスコの権限上問題はなかった。こうして、文化遺産と自然遺産の双方を対象にした世界遺産条約が、ほぼ満場一致で一九七二年一一月のユネスコ総会で採択されるに至ったのである。

世界遺産基金の設置

ここでほぼ満場一致と書いたのは、世界遺産条約の中核部分に関してはどこの国からも異論は出されなかったが、新しく設置される世界遺産基金への各国の分担金問題で紛糾したためである。アメリカやドイツは任意の拠出としたが、途上国は義務的な拠出を主張した。最終的には途上国の主張を取り入れて、ユネスコ本体に対する分担金の一パーセント以下の金額を、分担金として義務的に支払うことにし、それに加えて任意的な拠出も受け入れることも条約に盛り込むことになった。その結果、投票にあたり大半の国は賛成したが、反対一か国、棄権一七か国となった。なお、条約上は世界遺産条約締約国の分担金は一パーセント以下となっているが、運用上は一パーセントとして対応している。

世界遺産基金に対する拠出が義務的になったことは、結果的に正解であったと言える。世界遺産条約の第四条は、「文化遺産及び自然遺産で自国の領域内に存在するものを認定し、保護し、保存し、整備し及び将来の世代へ伝えることを確保することが第一義的には自国に課された義務である」としている。しかし、同時に第六条には、「遺産の保護について協力することが国際社会全体の義務である」としている。具体的に言えば、途上国、特に低所得の国が、自国の世界遺産に登録された物件を自力で保護できなければ、締約国全体がその国を支援する義務を負うことになるからである。

世界遺産基金は、世界遺産条約事務局であるユネスコの世界遺産センター*が運用を担当しているが、途上国支援で非常に役に立っている。多くの途上国は、自国の世界遺産に推薦したい資産の一覧を作ることができても、その一覧から登録への第一歩である「暫定リスト」に載せるべき資産を、専門的見地から選ぶことはなかなか難しい。そして暫定リストから世界遺産登録に向けての詳細な推薦書を書くことはさらに難しい。そこで世界遺産センターが他国の専門家を動員して暫定リストを作成し、それを世界遺産センターに登録、さらにはそのなかから有力な候補を選んで、登録のための推薦書を書くことになる。この一連の作業に、世界遺産基金が役立っている。しかしながら、世界遺産に登録された資産に問題が生じた時、それに対応するには世界遺産基金の財源は十分ではなく、先進国からの任意拠出金に頼らざるを得ない状況になっている。

世界遺産条約締約国の増加と日本の加盟

世界遺産条約は、一九七五年に条約発効に必要な二〇か国の批准を得て動き出した。翌一九七六年に世界遺産条約締約国からなる総会が開かれ、世界遺産登録の可否の最終的な決定を行う世界遺産委員会が設立された。

世界遺産委員会は、当初一五か国(任期は六年)から構成されていたが、締約国がその後さらに増え四〇か国に達したので、規定に基づき世界遺産委員会のメンバーは二一か国になった。その後も締約国は着実に増え続け、日本が世界遺産条約に参加した一九九二年の時点で一二五か国になり、前述のように現在は一九四か国に達している。しかしながら世界遺産委員会のメンバーは二一か国と定められているので、委員国に選出されるのは非常に難しい状況になっている。

日本が世界遺産条約に加盟したのは、条約締結から二〇年後と大変遅れていたが、しっかり事前準備をしていたので翌年には世界遺産委員会のメンバーに選出され、以来六年間メンバーを務めた。日本は世界遺産条約の運用が曲がり角に来ていることを認識し、後述する「奈良文書」*の採択に象徴されるように、条約の運用に積極的に貢献する努力を始めた。

さらに日本は一九九八年に世界遺産委員会の議長国になり、同委員会が一九九八年末京都で会合を持つように誘致することに成功した。その結果、日本は京都会合の議長国となり、当時フランス大使をしていた私が日本政府からの指名で議長を務めることとなった。さらにその後一年間、議長として世界遺産条約体制の運用に携わった。

「顕著な普遍的価値」という概念

世界遺産条約では、世界遺産とは「顕著な普遍的価値」*を持つものとされている。そして条約上、文化遺産とは、記念物、建造物群、遺跡の三つについて歴史上、芸術上、学術上、民俗学上、または人類学上顕著な普遍的価値を有するものであると明記されている。他方、自然遺産とは、無生物または生物の生成物または生成物群からなる自然の地域、地質学上または地形学上特徴のある地域、脅威にさらされている動物または植物の種の生息地や自生地、自然の風景地などで鑑賞上、学術上、保存上、または景観上顕著な普遍的価値を有するものと定められている。さらに、三つ目のカテゴリーとして文化遺産と自然遺産双方の特徴を持つ「複合遺産」というカテゴリーが作られた。

これらの条文を踏まえ、具体的にどのように「顕著な普遍的価値」を持つかを判断し、世界遺産のリストへの登録を進めるかについての作業指針が必要であり、それがユネスコ事務局と専門家グループの協力のもとで作成され、一九七七年の第一回世界遺産委員会で採択された。作業指針では、顕著な普遍的価値とは「国家間の境界を超越し、人類全体にとって現代及び将来世代に共通した重要性を持つような、傑出した文化的な意義及び／または自然的な価値を意味する」と定義されている。

次に重要なのは、顕著な普遍的価値をどのような基準で判断するかである。作業指針はその後何度も改正されているが、現時点では別表「世界遺産の評価基準」*のように（ⅰ）～（ⅹ）までの評価基準が決まっており、世界遺産に登録されるためには、この評価基準の一つ以上を満たすことが必要である。

当初は文化遺産と自然遺産それぞれについて（ⅰ）～（ⅵ）、（ⅰ）～（ⅳ）の登録基準が設けられていた。二〇〇五年には、登録基準は評価基準に名称が変更されるとともに、文化遺産と自然遺産

世界遺産の評価基準

(i)	人間の創造的才能を表す傑作である。
(ii)	建築、科学技術、記念碑、都市計画、景観設計の発展に重要な影響を与えた、ある期間にわたる価値観の交流又はある文化圏内での価値観の交流を示すものである。
(iii)	現存するか消滅しているかにかかわらず、ある文化的伝統又は文明の存在を伝承する物証として無二の存在（少なくとも希有な存在）である。
(iv)	歴史上の重要な段階を物語る建築物、その集合体、科学技術の集合体、あるいは景観を代表する顕著な見本である。
(v)	あるひとつの文化（または複数の文化）を特徴づけるような伝統的居住形態若しくは陸上・海上の土地利用形態を代表する顕著な見本である。又は、人類と環境とのふれあいを代表する顕著な見本である（特に不可逆的な変化によりその存続が危ぶまれているもの）。
(vi)	顕著な普遍的価値を有する出来事（行事）、生きた伝統、思想、信仰、芸術的作品、あるいは文学的作品と直接又は実質的関連がある（この基準は他の基準とあわせて用いられることが望ましい）。
(vii)	最上級の自然現象、又は、類まれな自然美･美的価値を有する地域を包含する。
(viii)	生命進化の記録や、地形形成における重要な進行中の地質学的過程、あるいは重要な地形学的又は自然地理学的特徴といった、地球の歴史の主要な段階を代表する顕著な見本である。
(ix)	陸上・淡水域・沿岸・海洋の生態系や動植物群集の進化、発展において、重要な進行中の生態学的過程又は生物学的過程を代表する顕著な見本である。
(x)	学術上又は保全上顕著な普遍的価値を有する絶滅のおそれのある種の生息地など、生物多様性の生息域内保全にとって最も重要な自然の生息地を包含する。

の基準が一本化されて評価基準（ⅰ）～（ⅹ）となり、建前上、全体が文化遺産、自然遺産双方に適用されることになった。しかし、実際には従前を引き継ぎ、評価基準の（ⅰ）～（ⅵ）が文化遺産、（ⅶ）～（ⅹ）が自然遺産に適用されている。なお、本稿においては一貫性を保つため、二〇〇四年以前に登録された世界遺産についても、登録基準ではなく、評価基準の表記を用いている。また、自然遺産については、登録年代に関わらず評価基準（ⅶ）～（ⅹ）と表記している。

さらに顕著な普遍的価値の適用にあたって重要な二つのコンセプトが作業指針に明示されている。真正性（authenticity）*と完全性（integrity）*である。この二つの基準をまとめて文化遺産に適用すると、建設当時の原型をそのままのかたちで完全に保全されているということを意味する。これは世界遺産条約およびその作業指針の作成が、主として西欧の専門家を中心になされたことから、西欧の石の文化を前提にしていたためと言える。

毎年開かれる世界遺産委員会では、各国から推薦書が出された世界遺産候補について、文化遺産についてはイコモス、自然遺産についてはＩＵＣＮ、複合遺産についてはイコモスとＩＵＣＮ両方の組織が作業指針に従って行った専門的な審査結果を踏まえて登録可否の最終結論を出している。

第二章　世界遺産の誕生

世界遺産第一号

作業指針に基づいて最初の世界遺産が誕生したのは、一九七八年に開かれた第二回世界遺産委員会においてのことである。登録されたのは、ドイツのアーヘン大聖堂、セネガルのゴレ島など八件の文化遺産、およびエクアドルのガラパゴス諸島など四件の自然遺産であった。

これら一二件の世界遺産は今から考えても世界的な視野から見て代表的な文化遺産および自然遺産であると言える。同時に、それらはそれぞれの国にとっての最初の世界遺産でもあり、各国のさまざまな思いや考えも込められていた。世界で第一号の世界遺産や各国にとって第一号の世界遺産を中心に私の印象を紹介したい。

ドイツ

建築物の歴史的意義

世界遺産第一号となったアーヘン大聖堂は、神聖ローマ帝国を建国したカール大帝によって八世紀に建造が始められ、その後何度かにわたって増改築が行われているが、世界的にも卓越した教会建築といわれる。評価基準(ⅰ)、(ⅲ)、(ⅳ)、(ⅵ)が適用されて世界遺産に登録されており、建築上、芸術上の価値は主に評価基準(ⅰ)「人間の創造的才能を示す傑作」、(ⅲ)「ある文明の存在を示す物証として無二の存在」、(ⅳ)「歴史上の重要な段階を物語る建築物の顕著な見本」によって認められている。

一方、アーヘン大聖堂はカール大帝のもとでの西欧の統合および精神的、政治的再興の象徴として、カール大帝の埋葬地として、また、その後一五世紀に至るまで代々の神聖ローマ帝国皇帝の戴冠式が行われた場として、その歴史的な価値において目を見張るものがある。建築物をめぐるこうした歴史的意義については、評価基準(ⅵ)「顕著な普遍的価値を有する出来事」が適用され、評価されている。

アメリカ

先住民の住居跡を第一号に

世界遺産第一号は、一九七八年に登録されたメサ・ヴェルデ国立公園とイエローストーン国立公園である。アメリカがより力を入れたのは後者であったが、同時にメサ・ヴェルデ国立公園を第一号の文化遺産として選んだことは非常に興味深い。同国立公園を訪問したのは外務省時代（一九五九～九八年）の一九六〇年のことで、世界遺産に登録されるはるか前のことである。その年、夏休みを利用してコロラド州の夏季大学に出席した後、友人たちと車で旅行に出かけた。アメリカ史を勉強していたこともあり、ニューメキシコ州との境界付近にあるアメリカ先住民の住居跡をぜひ見たいと思い、友人たちを説得してかなり回り道をして訪問した。メサ・ヴェルデというのはスペイン語で「緑の台地」という意味である（当初アメリカの西部はスペインの支配下にあった）。先住民の一部族が七世紀から一四世紀にかけて住んでいた、レンガと泥で造った住居を実際に見ることができた。そこには一八〇程の住居跡があり、住民が集まって礼拝する場所もあった。メサ・ヴェルデは評価基準（iii）「ある文明の存在を示す物証として無二の存在」が適用されている。

主要国においては、世界遺産、なかでも文化遺産の第一号は、国民が一番誇りにしている物件を世界遺産に登録している。前述のアーヘン大聖堂もまさにそうであるし、一九九二年に世界遺産条約に加盟した日本も、翌年世界文化遺産第一号として、国民誰もが誇りを持つ法隆寺（正確には法隆寺地域の仏教建造物）と姫路城を登録している。しかし、アメリカでは、合衆国誕生の象徴であるフィラデルフィアの独立記念館でなく、先住民の住居跡を世界文化遺産の第一号にしたことは大変興味深いことと言える。

その独立記念館は、一九七九年の第三回世界遺産委員会で評価基準（vi）に基づいてアメリカ第二号の文化遺産として登録された。私は、一九五九年から二年間フィラデルフィア郊外のハヴァフォード大学に留学していたので、独立記念館には何度も足を運んだことがある。同記念館は一七七六年にアメリカの一三州の代表が集まり、トーマス・ジェファーソンらが起草した「独立宣言」に署名し、イギリスに対して独立を宣言した場所である。同記念館はアメリカのコロニアル様式の建物で、その記念館の近くには有名な「自由の鐘」がある。

フランス

世界屈指の文化遺産

文化大国を誇るフランスでは一九七九年に、第一号として五つの世界文化遺産が誕生した。モン・サン・ミッシェル、シャルトル大聖堂、ヴェルサイユ宮殿と庭園、ヴェズレーの教会と丘、ヴェゼール渓谷の先史時代の史跡群と洞窟壁画群である。これらの文化遺産に共通した特徴は、全て評価基準（ⅰ）「人間の創造的才能を表す傑作」が適用されていることである。

なかでも世界的に有名なのはヴェルサイユ宮殿と庭園である。一七世紀のフランスではまだいくつかの地方に豪族の政権が存在していたが、これらの政権を圧して現在のフランスの基盤を作った太陽王ことルイ一四世が建築した、ヨーロッパで最大規模の宮殿である。ヴェルサイユ宮殿はフランスの政治や文化の中心であったのみならず、ヨーロッパにおいてもその中心をなし、他のヨーロッパ諸国の宮殿建築にも影響を与えている。一九〇九年に東宮御所として建設された東京の迎賓館赤坂離宮も、ヴェルサイユ宮殿を参考にしている。そういう歴史的な重みがある豪華な宮殿であるので、ドイツのアーヘン大聖堂に適用されている評価基準の（ⅰ）と（ⅵ）に加えて、「他の国との交流」を示す評価基準（ⅱ）が適用されている。

これらの五つの文化遺産を全て訪問したが、一番関心をもったのはヴェゼール渓谷の先史時代の史跡群と洞窟壁画群である。そのなかでも、紀元前一万五〇〇〇年頃の旧石器時代末期に、洞窟の壁面や天井に牛、馬、鹿などの動物の彩色画が描かれたラスコー洞窟は最も有名である。ラスコーが発見されたのは一九四〇年で、当初は一般にも公開されたが、彩色画に損傷が出てきたので公開は禁止され、その近くに一般向けにレプリカの洞窟「ラスコーⅡ」が作られた。ユネスコ事務局長の立場で、例外的に本物のラスコー洞窟を専門家に案内されて訪問する機会に恵まれた。一万七〇〇〇年前に描かれた生き生きとした動物の姿に驚くとともに、深く感銘した。

外務省時代の一九七二年に、ほぼ同時代に描かれた動物の彩色画を有するスペイン北部のアルタミラ洞窟を訪問したことがある。ちょうどパリから車で家族と一緒にスペインを旅行中に立ち寄ったもので、これらの彩色画に感銘を受けたものの、文化財の価値としての意識をもって見たわけではなかった。それに対し、ラスコー洞窟においては、相当な時間をかけ専門家の説明を受けたことで理解が深まり、大変感銘を受けた。これまで世界各地で数百にのぼる世界文化遺産を訪れてきたが、一番感動したのは何といってもラスコー洞窟である。

機会があればぜひ訪問したいと思っている世界遺産が一つある。それは二〇一四年に評価基準（ⅰ）と（ⅲ）で世界遺産に登録されたフランスのショーヴェ洞窟である。ショーヴェが発見されたのは一九九四年のことで、洞窟内には四〇〇点を超える動物の壁画が確認されている。ユネスコ時代（一九九九〜二〇〇九年）に車でその前を通ったことがあるが、洞窟の入口がかなり高い崖の中腹にあり、下から入口を見上げるだけで終わった。動物の壁画に関してはいつ頃のものか長年論争になったが、最終的に約三万年前のもので、ラスコーの壁画よりも一万五〇〇〇年も古いと結論付けられた。その壁画の写真を見るとラスコー洞窟の動物たちとほぼ同じように、生き生きと描かれている。

ポーランド／セネガル
負の世界遺産

世界で最初の世界遺産のうちもう一つ紹介したい文化遺産は、セネガルのゴレ島である。ゴレ島はセネガルの首都ダカールの沖合にある島で、一五世紀から一九世紀にかけて西アフリカの人々を奴隷として北米や南米に運ぶ船の中継地になっていた。島には、三世紀以上にわたって行われた奴隷貿易を象徴する泥でできた歴史的な建造物がある。この建物の中にはいくつもの狭い部屋があり、何百人もの奴隷が詰め込まれていたといわれる。その部屋の入口に立って当時の状況を想像し、奴隷貿易がいかに酷いものであったかを改めて実感した。アーヘン大聖堂やメサ・ヴェルデ国立公園は一見してすぐ顕著な普遍的価値があると言えるが、ゴレ島に関しては、その歴史的な背景を知らなければとても顕著な普遍的価値があるとは言えない。三〇〇年以上にわたる人類の負の歴史である奴隷貿易の象徴という意味において、評価基準（vi）が適用され、世界遺産となった。かくして人類の負の世界遺産第一号が誕生したのである。

ナチス時代のドイツがユダヤ人らを強制収容したアウシュヴィッツ＝ビルケナウの強制絶滅収容所（ポーランド国内）を、一九七九年にポーランドが推薦し、ゴレ島と同じく評価基準（vi）のみを適用して世界遺産に登録された。この施設で罪無き多くのユダヤ人らが犠牲になった。ユネスコ時代に収容所を訪問したが、目を覆いたくなるような残酷な展示が続いていた。現時点において負の世界遺産として最も頻繁に引用されるのは言うまでもない。

カナダ

歴史を覆す発見

一九七八年に世界遺産に登録された八つの世界文化遺産のうち、訪問してないところが一つある。それはカナダの世界遺産第一号のランス・オ・メドー国定史跡である。カナダ東部のニューファンドランド島にある考古遺跡で、一九六〇年の調査で発見された建物跡が一一世紀のバイキングの住居であったことが判明した。コロンブスが北米大陸を発見した五〇〇年も前のことで、歴史を覆す発見となったことを反映し、評価基準（vi）で登録されている。

バハマ／モーリシャス

世界遺産の条件

ユネスコ時代の二〇〇四年に、カリブ海諸国の一つを構成するバハマ（地理的には大西洋に位置）を訪れた時に、バハマ政府の勧めで、一四九二年にコロンブスが北米大陸を訪れる前に上陸したとされる海岸を訪れた。バハマ政府には、この歴史的な場所を世界遺産として登録したいという希望があった。その海岸に立ち、政府関係者の説明に興味をもって耳を傾けたが、世界遺産条約の仕組み上、史跡の形で残っていれば検討していく価値があるが、何も残っていない状況では残念ながら世界遺産候補になりえない旨を説明した。バハマ政府の関係者は非常に落胆していたが、その説明に納得してくれた。当時バハマは世界遺産条約に加盟していなかったし、そのような状況下で加盟を勧めることには躊躇したが、バハマはその一〇年後の二〇一四年に世界遺産条約締約国となった。

バハマのように、どの国においても、国民から見て歴史上一番重要な場所を世界遺産に登録したいと思うのは当然であろう。その関連で言えば、ユネスコ時代の二〇〇四年にインド洋に位置するモーリシャスを訪れた時のことを記しておきたい。モーリシャスは、かつては多様な動物が棲んでいたが無人島であった。まず一七世紀にオランダが、一八世紀にフランスが植民地化すると、アフリカから奴隷を連れてきて、さとうきび栽培を始めた。一九世紀に英国の植民地になると、さとうきび栽培の本格化によって大量の労働力が必要になり、英国の植民地であったインドから大勢の労働者が入植した。当時、奴隷制は廃止されていたため、契約労働者としての移入であった。その後、英国の植民地時代が長く続き、一九六八年に独立した。

この経緯から、モーリシャスの中核を成す民族はインド系の子孫であり、それにアフリカ系の子孫が加わっている。そのため、インドからの労働者が最初に到着した現在の首都ポート・ルイスの波止場のアープラヴァシ・ガートを、国の出発点として世界遺産に登録したいとのことで、二〇〇四年に視察した。バハマと違い、幸いそこには一九世紀に造られた波止場の建築物が、かなり傷んでいるものの原形をとどめて残されていた。傷んでいる建築物の修復をすれば歴史的な背景をもつ建築物は世界遺産の候補となりうるので、専門家とよく相談して世界遺産に向けての推薦書を作成するよう助言した。その後モーリシャス政府は推薦書を世界遺産委員会に出し、二〇〇六年の世界遺産委員会にて評価基準（vi）で登録された。

世界遺産第一号の誕生にモーリシャスの国民は熱狂したという。さらにフランス植民地時代にアフリカ人奴隷が強制労働から大挙して逃亡し、ル・モーン山に籠もったという歴史的出来事に基づき、アフリカ系子孫が中心になってル・モーン山を世界遺産にしたいという動きが出てきた。それも尤もな動きなので、世界遺産となるように協力し、二〇〇八年に「ル・モーンの文化的景観」として評価基準（iii）と（vi）で文化遺産として登録されるに至った。

自然遺産第一号

ガラパゴス諸島／イエローストーン

自然遺産の最も有名な事例はエクアドルのガラパゴス諸島であろう。ガラパゴス諸島はエクアドルの西方の太平洋上にある一九の島からなる火山群島である。数百万年前に誕生したと言われているが、大陸とは全く隔絶された環境のなかで多様な動植物が独自の進化を遂げてきた場所である。チャールズ・ダーウィンがこの島を訪れ、動植物相の観察や地質研究を行い、有名な進化論の物証としたところである。ユネスコ時代に一九の島のうち主要な四島を訪れて、そこに生息する動植物を見て、特にゾウガメが環境に合わせてどのように進化してきたかの説明を聞き、大いに感銘を受

セネガルのゴレ島は1444年にポルトガル人が上陸して以来、1848年まで奴隷貿易の拠点であった（1978年登録）

モーリシャスのル・モーン山は19世紀に逃亡した奴隷の隠れ場所として負の歴史を伝える（2008年登録）

けた。ガラパゴス諸島は自然遺産に適用される評価基準（vii）、（viii）、（ix）、（x）の全ての適用を受けて、一九七八年に世界遺産となった。

同じく一九七八年に誕生した自然遺産に、アメリカが重視していたイエローストーン国立公園がある。アメリカが当初ユネスコの外で自然遺産に関する国際条約を準備していたことは前述の通りであるが、その出発点は、一八七二年に世界で最初の国立公園となったイエローストーン国立公園であった。同国立公園はアメリカの中西部のワイオミング、モンタナ、アイダホの三州にまたがるもので、ロッキー山脈の一部を成す火山性の高原地帯にある。ガラパゴス諸島と同じく評価基準（vii）、（viii）、（ix）、（x）の全てが適用されている。

ワシントンの日本国大使館に勤務していた一九七九年に、コロラド・スプリングで講演した後、そこから車でイエローストーン国立公園を訪れた。壮大な風景に感銘を受けたが、ガイドの説明を受けなかったため、イエローストーンがちょうどその前年の一九七八年に世界遺産に登録されたことを知ってはいたものの、その意義を十分に承知していなかったことは残念であった。

第三章　アジア諸国での世界遺産の誕生

アジア太平洋地域への拡大

一九七八年以降、毎年開かれる世界遺産委員会において、作業指針に基づき着実に新しい世界遺産が誕生した。作業指針は基本的に西欧的な考えを盛り込んだものではあったが、アジアでも一九七九年にネパールで文化遺産と自然遺産が一つずつ、イランで文化遺産が三つ、世界遺産に登録された。イランはユネスコでの地域グループではアジア太平洋グループに属している。

イラン最初の世界遺産の一つペルセポリスは紀元前六世紀から約三世紀にわたって古代ペルシア帝国の首都であった。古代ペルシアは、西はエジプト、シリアから東はインドの一部に至るまでを含む大帝国であった。その大帝国の国王の権力と偉大さを誇示するために、多数の壮大な建築群からなる大宮殿が建造された。しかし紀元前三三一年にマケドニアのアレクサンドロス大王の攻撃によって破壊され、廃墟となった。現在も廃墟のままであるが、いくつもの巨大な柱など、壮大な遺構が残る。ペルセポリスは評価基準の（ⅰ）、（ⅲ）に加え、（ⅵ）に基づいて登録されている。

次いで一九八〇年には、パキスタンのモヘンジョダロの考古学遺跡など三つの世界文化遺産がアジアに誕生した。モヘンジョダロは世界の四大文明の一つであるインダス文明を代表する最大の都市遺跡である。モヘンジョダロは、紀元前二五〇〇年から紀元前一八〇〇年にかけて繁栄した都市で、最大で四万人近くが居住していたといわれている。東西南北に広がる直線道路、倉庫、大浴場、祭祀場などが残っている。評価基準の（ⅱ）、（ⅲ）を適用して登録されている。ユネスコ時代に是非訪問したいと考えていたが、残念ながら訪問する機会がなかった。

その後も、一九八一年にパキスタンで一つ、一九八二年にスリランカで三つおよびオーストラリアで一つの世界遺産が、さらに一九八三年には、インドでタージ・マハルなど四つの世界文化遺産が誕生した。タージ・マハルはムガール帝国を代表する建築の傑作である。第五代の皇帝シャー・ジャハーンが一六三一年に亡くなった王妃ムムターズ・マハルに捧げるために建設したものである。タージというのは王妃のムムターズの愛称である。これまでに三度訪問しているが、タージ・マハルは庭園の三方を壁で囲い、中央に五八メートルの大ドームを持つ白い大理石の廟が建っている。大変美しい白亜の霊廟である。評価基準（ⅰ）で登録されている。

中国

世界に誇る壮大な世界遺産

さらに一九八七年には、中国で六つの世界遺産が誕生した。北京の明・清王朝の皇宮、莫高窟(ばっこうくつ)、万里の長城など五つの文化遺産と複合遺産の泰山である。

北京の明・清王朝の皇宮は、紫禁城の名で知られる。子どもの頃、父の仕事の関係で一九四三年秋から天津に住んでいたが、第二次世界大戦の戦況が悪化し、一九四五年三月に父は家族を先に日本に帰すことを決めた。帰国の前に一家で北京に赴き、父の案内で市内とその周辺の名所を訪れたが、一番印象に残っていたのが紫禁城であった。紫禁城は明・清両王朝の二四代にわたる皇帝が居住したところで、広大な敷地内に多数の建造物をもつ世界最大の木造宮殿である。内部には豪華絢爛たる装飾が施され、歴代皇帝の重要な儀式は全てここで行われたといわれる。当時小学校一年生であった私にはそのような歴史的な重みは十分理解できなかったが、巨大な宮殿と内部の豪華な装飾に目を見張ったのをよく覚えている。半世紀を経て、ユネスコ時代に改めて中国側の案内で訪問し、その歴史的意義をしっかり認識することができた。北京の明・清王朝の皇宮は評価基準の(i)、(ii)、(iii)に加えて(iv)の「歴史上の重要な建築物の集合体」が適用されている。二〇〇四年には登録対象が拡張され、遼寧省瀋陽の故宮も世界遺産となった。

莫高窟はシルクロードの要衝を占めていた敦煌の郊外にある。敦煌の東南に位置する鳴沙山(めいさざん)には六〇〇あまりの洞窟があるが、なかでも有名なのが莫高窟である。四世紀から約一〇〇〇年にわたり掘り続けられた石窟は、大小五〇〇近くにのぼり、内部には仏教関係の壁画、塑像、文献などが豊富に保存されている。一九〇〇年に発見された敦煌文書は、特に有名である。

莫高窟は文化遺産の評価基準(i)から(vi)まで全てが適用されており、これは極めて稀な例である。莫高窟が世界遺産に登録された直後の一九八八年に、竹下登総理の中国訪問があり、私は外務省経済協力局長として同行していたが、北京での一連の会談のあと敦煌訪問が組まれ、その際に莫高窟のいくつかの石窟を見る機会に恵まれた。シルクロード経由で仏教が日本に入ってきた経緯を思えば、莫高窟の壁画や塑像が日本の仏教文化に与えた影響ははかりしれない。ユネスコ時代にも中国政府の案内で再び莫高窟を訪れたが、日本の文化や美術の原点とも言える素晴らしい芸術性を改めて認識した。

万里の長城の起源は紀元前七世紀頃に古代中国の諸国で築かれた防御壁に遡る。その後二〇〇〇年以上にわたり北方からの異民族の侵入を防ぐ城壁として、始皇帝およびその後のいくつかの王朝によって修築や移転、整備が繰り返された。その全長は六七〇〇キロメートルにも及ぶと言われる(現存する人工壁は約六二六〇キロメートル)。万里の長城には、文化遺産の評価基準の(v)を除く五つの評価基準が適用されている。私は外務省時代の一九八〇年に北京から一番近い八達嶺長城を訪れ、麓から長城を見上げた。次いでユネスコ時代の二〇〇〇年には、中国政府の案内で再度訪れ、その時は長城の上を一キロメートルほど歩くことができた。しかしながら私が目にした万里の長城はほんの一部でしかない。

韓国

世界遺産と無形文化遺産の合体

韓国の世界遺産第一号の誕生は、一九八八年の世界遺産条約加盟から七年後の一九九五年のことである。登録されたのは、新羅王朝時代の石窟庵と仏国寺［評価基準(i)、(iv)］、韓国の仏教の中心地である伽耶山海印寺［評価基準(iv)、(vi)］と宗廟［評価基準(iv)］である。

これら三つの文化遺産を全て訪れたが、思い出深いのは宗廟である。宗廟は高麗に代わって一三九二年に成立した朝鮮王朝が、翌年漢陽（現在のソウル）に遷都し、その地に建てた皇室の祭祀場で、歴代の王や王妃の位碑が祀られている（ただし、一五九二年に豊臣秀吉の朝鮮出兵で破壊され、再建されたのは一六〇八年のことである）。宗廟の世界遺産登録二〇周年にあたる二〇一五年に、韓国政府が盛大な式典を行うことになり、前ユネスコ事務局長として招かれ基調演説を行った。その式典で、無形文化遺産条約に基づく韓国の最初の無形文化遺産となった旧王朝儀礼と儀礼音楽が上演された。無形文化遺産条約については後述するが、世界遺産と無形文化遺産が有意義な形で合体されていることを嬉しく思った。

インドネシア

仏教遺跡と修復事業

インドネシアは一九八九年に世界遺産条約に加盟し、一九九一年には四つの世界遺産（文化遺産二つ、自然遺産二つ）が誕生した。

インドネシアは、人口の九割近くがイスラム教徒であるが、文化遺産に登録されたボロブドゥール寺院遺跡群は石造りの巨大な仏教遺跡であり、カンボジアのアンコールワット、ミャンマーのパガンとともに世界の三大仏教遺跡の一つとされている。一九六〇年代にユネスコがアブ・シンベル神殿を中心とするヌビア遺跡の救済に力を入れたことは前に書いたが、ボロブドゥール寺院遺跡群も石造りとはいえかなり破損が進んでおり、一九七〇年代にユネスコは遺跡救済のための国際キャンペーンを行い、修復事業に力を入れている。ユネスコ時代に同遺跡群を訪れた際、その取り組みの成果を実見することができた。

もう一つの文化遺産であるプランバナン寺院遺跡群は、インドネシアに最初に入ってきたヒンドゥー教の寺院遺跡である。この遺跡については忘れがたい思い出がある。外務省のＯＤＡ（政府開発援助）の担当課長の時代に、インドネシア政府から依頼を受け、同遺跡群の重要性に鑑み直ちに修復を行った。その後、ユネスコ時代に同遺跡群を訪れた際、現地のガイドから、日本の援助で修復が叶った旨の説明を聞いた時は、非常に嬉しかった。プランバナン寺院遺跡群は二〇〇七年のジャワ島中部地震でも深刻な被害を受けたが、この時もインドネシア側の要請を受け日本政府が被害状況調査および復旧支援を実施していた。

第四章　「文化的景観」という概念の誕生

ニュージーランドの先住民の遺産

作業指針に定められた（ｉ）から（ｘ）の評価基準と真正性と完全性の概念に基づいて毎年世界遺産、特に世界文化遺産の件数は、西欧を中心としつつも、アジア太平洋地域を含む他の地域に次第に広がりながら、着実に増加していった。しかしながら全体として見れば、まだまだ文化遺産は西欧に集中しており、西欧の都市遺産と宗教建築がその中核を成していた。

そのような状況を本格的に見直す必要性が、一九八〇年代終わりから九〇年代初めにかけて生じた。その端緒の一つは、一九八七年にアジア太平洋地域のニュージーランドが、同国の世界遺産第一号候補として、トンガリロ国立公園を複合遺産で推薦してきたことにある。同国立公園は、先住民マオリが崇拝するトンガリロ山を中心とした火山群からなる。

ニュージーランドは、八世紀頃に最初に定住した先住民マオリと、一九世紀初頭から植民地化を進める英国との間で一八四〇年にワイタンギ条約が締結され、正式にイギリスに併合された。その後、入植者と先住民との間で紛争が絶えず、一八四五年にはマオリ戦争も勃発している。一九四七年に自治国家として承認され、現在もイギリス連邦の一国であるニュージーランドが、国の最初の世界遺産に、先住民マオリの文化を尊重する姿勢を示したのである。このことは、国際社会に非常に大きなインパクトを与えた。

文化的景観の誕生

ニュージーランドの先住民マオリの人々は、古来よりルアペフ山、ナウルホエ山、トンガリロ山の三峰を聖地とし、山への崇拝を核とする文化を築き上げてきた。とりわけトンガリロ山は、その山頂に歴代のマオリの首長が埋葬されてきた聖なる山である。しかし、トンガリロ山を世界遺産とすることには、当時の世界遺産の作業指針から見て、二つの大きな問題点があった。

まず、文化遺産の対象は条約上、記念物、建造物群および遺跡の三つとなっており、トンガリロ山はそのどれにも該当していない。このため、一九八七年に世界遺産委員会は、トンガリロ国立公園を文化遺産として認められないと判断した。また、自然遺産としても管理計画ができていないため、登録に至らなかった。

ちなみに世界遺産条約には、世界遺産として推薦する資産について、事前にそれをどのように管理していくかについての計画の提出を義務づけてはいないが、作業指針においては「推薦する資産の顕著な普遍的価値をどのように保全するのかについて明示した、適切な管理計画」が必要であると明記してある。

その後、ユネスコおよびＩＵＣＮがニュージーランド政府にたびたび接触をし、ニュージーランドが管理計画を作ったので、一九九〇年に評価基準（ⅶ）「自然美を有する地域」および（ⅷ）「重要な地形学的特徴」が適用され、自然遺産として登録された。

しかしながら、マオリの人々、さらにはニュージーランド政府が最も重視したのは、トンガリロ山が信仰の山として認められ、文化遺産として登録されることであった。そのため、自然遺産としての登録だけで満足することはできなかった。世界遺産センターとしても、どうすればトンガリロ国立公園を文化遺産として登録できるかの検討が進められた。

従来の文化遺産と自然遺産の概念および評価基準では捉えきれない例のあることは、一九八〇年代はじめから認識され、議論が始まっていた。それは、一つには、田園景観のように人間が手を入れ続けることで形成され維持されてきた自然の環境を世界遺産としてどのように評価できるかということであった。当時の世界遺産条約の枠組みでは、景観を文化遺産として評価する、あるいは人間が暮らす自然環境を自然遺産として評価することは困難と考えられた。そのため、イギリスは一九八七年と一九九〇年にイングランドの湖水地方の景観を世界遺産候補として推薦していたが、登録には至らなかった（二〇一七年に文化的景観として認められ登録）。

専門家グループをつくって検討を進めた結果、世界遺産条約には文化遺産の対象として明記されていない「文化的景観」という新しい概念を作り出すことになった。世界遺産条約の第一条の世界遺産の対象として挙げられた「遺跡」の説明に「人工の所産（自然と結合したものを含む）」という表現があり、これを「人間と自然との共生から生まれる共同作品」と解釈し、このような共同作品を「文化的景観」と名付けた。そして、一九九二年に作業指針を改定し、文化的景観とは「人間社会または人間の居住地が自然環境による物理的制約のもとに、内外からの社会的・経済的・文化的な力の継続的な影響を受けつつどのように進化を遂げてきたのかを提唱する遺産である」と明記したのである。

文化遺産の第四の柱

かくして世界遺産条約の第一条の文化遺産の三本柱（記念物、建造物群、遺跡）に加えて、文化的景観を第四の柱としたのである。そして、作業指針において、次の三項目のどれか一つに該当するものを、文化的景観と定義づけた。

①庭園、公園など人間によって意図的に設計され創造されたと明らかに定義できる景観
②棚田などの農林水産業などの産業に関連した、有機的に進化する景観（具体的には残存または継続する景観及び化石の景観）
③聖山などの自然的要素の強い宗教、芸術、文化などの事象と関連する文化的景観

そして、文化的景観と認定された物件が評価基準の（ⅰ）～（ⅵ）のどれかに該当すれば世界遺産として登録されるということになった。

今から考えてみれば世界遺産条約の改正をせずに、自然遺産の要素も取り入れて文化遺産の第四の柱とすることにしたのは見事であったと言える。

この結果、一九九三年の世界遺産委員会でトンガリロ国立公園は上記の三番目の項目によって文化的景観として認定され、かつ評価基準（ⅵ）の適用が認められ、文化遺産と自然遺産の両方の価値をもつ複合遺産となったのである。

ユネスコ時代にトンガリロ国立公園を訪れた際、入口でマオリの伝統的な踊りで大歓迎を受けた。

入口の先には広大な荒野が広がっており、最後にトンガリロ山が見えた。その荒野の中にたった一軒の建造物があり、実はホテルで、そこに宿泊した。太古のままの姿を維持しているトンガリロ山が、聖なる山としてマオリの文化と自然を体現する山になっていることに、深い感銘を受けた。

オーストラリアの先住民の遺産

他方、ニュージーランドと同じく、先住民アボリジニの住む島を、イギリスが植民地化するかたちで建国された隣国のオーストラリアは、伝統的にアボリジナル文化を、国の文化として尊重することはなかった（近年になってようやくアボリジニに対する態度をかなり変化させてきている）。しかし、オーストラリアの世界遺産には、アボリジナル文化に関わるものもある。一つは、ウルル・カタ・ジュタ国立公園で、トンガリロ国立公園と同じように、まず一九八七年に評価基準（vii）、（viii）により自然遺産として登録された後、一九九四年にアボリジニの伝統的生活や信仰、文化との関係から文化的景観としての文化遺産の価値が認められ、複合遺産となった。評価基準は（v）、（vi）が適用された。

この機会に北部にある広大な自然公園カカドゥ国立公園を巡る諸問題について述べたい。同国立公園は文化的景観としてではないが、一九八一年に複合遺産として世界遺産に登録されている。カカドゥ国立公園は、先史時代から今日に至るまでアボリジニが住み、聖地とみなしている場所である。同公園でみられる岩窟画や考古学遺跡にはアボリジニの文化が表われており、評価基準（i）と（vi）により世界文化遺産として認められた。自然遺産としての価値は評価基準（viii）、（ix）、（x）が適用されていた。

しかし同国立公園において大きな問題が発生する。公園の地中には大規模なウラン鉱床があり、世界遺産登録と同時期に掘削が始まった。さらに世界遺産登録地域の近くでウラン鉱山が発見され、同鉱山を開発する計画が作られだした。掘削が進めば、景観破壊や放射能汚染による環境破壊が危惧され、何よりアボリジニの人々から見れば聖地を侵すことになるため、オーストラリア国内で開発の撤回を求める運動が起こった。

このことは、一九九八年に京都で開かれた世界遺産委員会でも、遺産の資源利用問題として議題に取り上げられている。また、会場となった国立京都国際会館の入口でアボリジニの代表者数名が抗議運動を展開した。これを受け、世界遺産専門家の間でも、開発が進められるのであればカカドゥ国立公園を危機遺産リストに登録することも検討された。これに対し、オーストラリア政府は、危機遺産

マオリの聖地トンガリロ国立公園は「文化的景観」の概念を生み出す一つのきっかけとなった（ニュージーランド、1993年登録）。写真はナウルホエ山

アボリジニの聖地カカドゥ国立公園のノーランジーロック。自然および文化的価値が認められ複合遺産に登録された（オーストラリア、1981年）

レントゲン技法で描かれたアボリジニの岩壁画（カカドゥ国立公園）

になれれば国の国際的なプレステージが傷つくとして、回避を強く望んだ。翌一九九九年の七月、パリのユネスコ本部で世界遺産委員会の臨時委員会を開いて議論を続けた結果、危機遺産リストへの登録はせず、オーストラリア政府に対して危機遺産にならないよう努力を求める決議を、議長として何とか取りまとめることができた。それ以降、世界遺産登録地域内での掘削は中止されたが、バッファゾーン（緩衝地帯）*での開発は続いており、世界遺産センターは現在も動向を注視している。

世界遺産としての富士山

ユネスコ事務局長に就任した翌年の二〇〇〇年三月に一時帰国した折に、中曽根康弘元総理に就任の挨拶に参上したところ、元総理より「松浦君、ユネスコ事務局長就任おめでとう。一つお願いがあるが、富士山を世界遺産に登録したいと思っているので、ぜひ協力してほしい。今後の手順について君の意見をしっかり聞きたいので、電通の成田豊社長（当時）をパリに派遣するから詳しく説明してほしい」との依頼があった。その翌年、成田社長がユネスコ本部に来られたので、私は「複合遺産として富士山を登録すべきであると私は思う。そのためには自然遺産および文化遺産の専門家を集めて富士山のどういうところに重点を置いて推薦書を書くか、時間をかけてしっかり議論していく必要があると思う」と伝えた。

二〇一〇年にユネスコ事務局長の任務を終え日本に帰国した時には、富士山は自然遺産として登録するのは難しいが高い文化的価値をもつという判断のもと、文化遺産として登録することに焦点が絞られていた。最終的に二〇一三年に世界遺産委員会で評価基準（iii）と（vi）で文化遺産として登録された。

富士山がトンガリロ山のように崇拝の山として文化遺産になったことは大変嬉しかったが、トンガリロ山のように複合遺産での登録を切望していただけに、未だに非常に残念に思っている。

第五章 「奈良文書」の成立と「真正性」の解釈の弾力化

石の文化から木の文化へ

トンガリロ国立公園の登録を検討する過程において、世界遺産条約運用の中核をなしてきた西欧の専門家たちも、世界遺産、なかでも文化遺産のさらなる地理的拡大と内容の多様化（特に文化遺産の対象となるカテゴリーの多様化）の必要性を認めるようになった。

ちょうどその時期にあたる一九九二年に、木の文化を中核とする日本が世界遺産条約に加盟した。日本はかねてから登録の準備をしていた法隆寺と姫路城を世界文化遺産候補として推薦した。作業指針の中核をなす真正性と完全性、なかでも真正性は、年月を経ても部材が失われにくい石の文化を前提としており、それを厳格に適用すれば、日本の伝統的な木造建造物は定期的に部材の部分的な取り換えを含む修理が行われており、真正性を満たさないことになる。しかし前述したように、西欧の専門家たちも文化遺産の一層の地域的拡大および内容の多様化のためには、真正性についても日本の主張を取り入れた新しい指針を作ることが必要であるということを理解していた。

一九九四年、日本のイニシアティブのもとに奈良市で開かれたユネスコの専門家会議において、「真正性に関する奈良文書」が採択された。真正性については、各地域の自然条件、歴史的背景、文化的文脈など多角的な要素を考慮した上で判断されるべきであるとの原則が合意されたのである。その骨子は、「木の文化を前提にして修復を認めることが真正性の原則に反しない」ことの明確化である。この考え方は、二〇〇五年に作業指針にも反映された。なお、歴史的建造物の修理にあたっては建造当初と同じ材料、同じデザインかつ同じ工法を用いることが前提となっている。

グローバル戦略の採択

奈良文書をアジアの国々が歓迎したのは言うまでもないが、泥の文化を中核とするサハラ以南のアフリカの国々も歓迎の意を表明したことは予想外の幸甚であった。

日本では、奈良文書が採択される前年の一九九三年に、奈良文書の考えを先取りするかたちで法隆寺および姫路城が登録された。日本の世界遺産第一号となった二つの文化遺産は、法隆寺が評価基準（i）、（ii）、（iv）に加えて（vi）も適用され、また姫路城は評価基準（i）と（iv）で登録された。これが契機となり、奈良文書が成立した一九九四年には、世界遺産の一層の地理的拡大と内容の多様化を進めるためにグローバル戦略*が世界遺産委員会で採択され、作業指針に盛り込まれることになった。グローバル戦略はその後の世界遺産条約運用にあたって、非常に重要な指針として世界

太平洋の群島国バヌアツ共和国の砂絵（2003年無形文化遺産登録）を視察

遺産委員会の作業の中核を占めるようになっている。

真正性の解釈を拡張した奈良文書は、グローバル戦略の推進に大いに貢献した。木の文化を代表する日本においてもいくつもの世界文化遺産の誕生に役立ったが、他の地域においても奈良文書は世界文化遺産の地理的拡大と内容の多様化の推進に大きく貢献してきている。

アフリカ、泥の文化への拡大

サハラ以南のアフリカ（以下、「アフリカ」はサハラ以南を指す）は、泥でできた煉瓦や壁を、建物の中核をなす建材として伝統的に活用してきた。日本を木の文化と呼ぶように、アフリカが泥の文化と呼ばれるゆえんである。地域によっては、石や木材の入手が容易で、粘土の煉瓦を石材や木材と組み合わせた建物も少なくない。ユネスコ時代に訪れた、アフリカの世界文化遺産をいくつか紹介したい。

モーリタニア
古代文明の足跡

世界文化遺産第一号は、国土の大半を占めるサハラ砂漠に、一一～一二世紀に建造された四つの交易地（ウワダン、シンゲッティ、ティシット、ウワラタ）の集落である。中世のサハラ交易の拠点として栄えたこれらの町は、西アフリカのイスラム文化の中心地でもあり、評価基準（iii）、（iv）、（v）で一九九六年に文化遺産として登録された。なお、モーリタニアではそれ以前の一九八九年にバン・ダルガン国立公園が自然遺産として登録されている。

四つの町のうち、ウワラタに現在も残る町並みは一一世紀に造られたもので、当時はガーナ王国の一部であった。ガーナ王国は七世紀頃から一二世紀にサハラ交易の中継地として繁栄したが、一三世紀にマリ帝国に併合された。その後、一五世紀にソンガイ帝国が興るなど、西アフリカにおける古代文明の足跡がこの一帯に残る。
外務省時代の一九六〇年代前半にガーナ共和国に勤務していた時に、その名前の謂れを調べたところ、ガーナ王国からきていることを知ってびっくりしたのを覚えている。地理的には現在のガーナとかけ離れているが、部族連合からなるガーナ王国にはガーナの名をもつ部族もあったと言われ、第二次大戦後最初に独立を目指したガーナにとっては、西アフリカで栄華を極めた最初の黒人王国の名前に国の繁栄を託したのであろう。ユネスコ時代に四つの町を訪問した時、現地のガイドの説明にはガーナ王国への言及は一切なかったが、その時代を偲ばせる町並みが残っていたので大変感激した。

トーゴ
泥の文化的景観
トーゴ唯一の世界遺産である「クタマク、バタマリバ人の土地」は、北東部に広がる先住民バタマリバの人々の居住地の一地域で、泥でできた塔状の特徴的な住居群が残る文化的景観が評価された。この独特の住居はタキエンタと呼ばれ、二階は穀物倉庫などの役割を果たし、また、バタマリバの人々の信仰や儀式にも深く関わっている。二〇〇四年に評価基準（v）、（vi）で文化遺産として登録された。

ベナン
宮殿の修復

アボメイ王国は、現在のベナンの中部に成立した王国で、後にダホメ王国と改名された。したがってベナンが一九六〇年に独立した時は、ダホメという国名であった。アボメイ王国の一連の宮殿は、一九八五年に評価基準（iii）と（iv）で文化遺産として登録されたが、その前年に竜巻によって宮殿一帯が大被害を受けたため、同時に危機遺産として登録された。そこでユネスコ事務局長としてイニシアティブを発揮し、日本の任意拠出金を活用してこれらの宮殿の修復を進めた。修復事業の完了を受け、二〇〇七年に危機リストから解除された。

ウガンダ
歴代国王の墓

以上はいずれも西アフリカの例であるが、東アフリカについても紹介したい。一つはユネスコ時代に訪れた、ウガンダの首都カンパラの郊外にある「カスビのブガンダ歴代国王の墓」である。一九世紀以降のブガンダ国王四人が葬られている墓所は、木、煉瓦、ヨシ、漆喰などで作られた茅葺の建物で、現在も信仰の対象となっている。現在のウガンダとその周辺地域では一六世紀にはルワンダやブルンジ、ブガンダなどの諸王国が成立しており、一九世紀末からのイギリス領時代も諸王国の統治体制は維持されていた。一九六二年に英連邦の一国として独立したが、連邦制を主張したのは最も有力なブガンダ王国で、翌年イギリス総督に代わりブガンダ王が大統領に就任して共和制となったが、他の王国との軋轢が今日まで続き、首都カンパラは戦火にさらされてきた。二〇一〇年、世界遺産である王墓の建物の焼失が判明し、危機遺産リストに記載された。政治不安を背景とした放火が原因との説もあるが真相は不明である。焼失後、復旧のための国際協力が進められ、日本が再建プロジェクトに資金協力および修復の専門家派遣を行った。

ジンバブエ

森の中の巨大遺構

東アフリカの事例として、土造りではないが「大ジンバブエ国立記念物」にも触れておきたい。ジンバブエ共和国の首都ハラレ南方にある標高一〇〇〇メートルの地に築かれた巨大な石造建築群で、花崗岩のブロックを積み上げた石造りの宮殿、神殿、住居などからなる。一八六八年に森林の中で巨大な廃墟として発見され、近年の調査では一一～一五世紀頃に建てられたショナ人の王宮と考えられている。ジンバブエ共和国は、一九八〇年に南ローデシアから、現在の国名に変更した。白人政権による時代はアパルトヘイト政策をとっており、改名は黒人政権誕生をたたえ、かつての王宮「グレート・ジンバブエ（大きな石の館）」からとられた。その六年後の一九八六年に、遺跡は評価基準（ⅰ）、（ⅲ）、（ⅵ）を適用し、世界文化遺産として登録された。私はユネスコ時代にアフリカの枢要な世界遺産はほぼ全て訪問しているが、この遺跡は数少ない例外で、今でも残念に思っている。

西欧の木造建築

西欧は石の文化を中核としているが、木造建築もいくつかの国において世界遺産になっている。例えばスロバキアでは日本の法隆寺などが世界遺産になった一九九三年に、ヴルコリニェツという山岳部にある木造建築四五件が世界遺産となった。これらは中世から続く伝統的な工法で建てられた民家で、評価基準の（ⅳ）と（ⅴ）が適用された。私はユネスコ時代に訪れている。日本の「白川郷・五箇山の合掌造り集落」と同様、現在も地元の人々が暮らすが、伝統的な文化や景観の維持は困難になってきているという。

また、奈良文書が成立するはるか以前の一九七九年に、ノルウェーで二つの木造の世界文化遺産が誕生している。一つはノルウェーの中部のウルネスの木造教会であり、スターヴ教会と呼ばれるものの一つである。もう一つは南西部にあるノルウェー最古の港湾都市ブリッゲンである。前に述べたカナダのランス・オ・メドー史跡を構成している集落遺跡は、ノルウェーのバイキングの住居跡であると書いたが、そのバイキングを送り出したのがブリッゲンであったと思われる。ウルネスの木造教会には訪れていないが、ブリッゲンでは木造建築からなる街の中を歩く機会を得た。建物は日本と様式が異なるが、木でできているので非常に親近感をもった。

以上の例が示すように、真正性に関する奈良文書はアジア以外のアフリカやヨーロッパの一部でも妥当するものであり、世界遺産の地理的拡大および内容の多様化に大きく貢献してきている。

第六章　グローバル戦略による地理的拡大と多様化

カテゴリーと内容の多様化

グローバル戦略を踏まえて、ユネスコは世界遺産条約締約国をさらに増やす努力をするとともに、締約国でまだ世界遺産のない国には、できるだけ早く保有できるように、また保有数が少ない国には、さらに新しい世界遺産を登録できるよう、専門家の協力を得て一層の努力をすることになった。

一九九二年に世界遺産条約に加盟した日本は一二五番目の締約国であったが、締約国数はその後三〇年で六八か国増えて二〇二一年末においては一九四か国になっている。また、世界遺産としての登録件数も、一九九二年の世界遺産委員会の終了時点において、その総数は三八二であったが、現在はその約三倍になり、一一五四件にのぼっている（二〇二二年八月現在）。しかし、加盟国のなかで二七か国（二〇二二年八月現在）が世界遺産をまだ一件も保有していない。これらの国においてできるだけ早く世界遺産第一号が成立するようにユネスコが専門家と提携して支援していかなければならない。

ユネスコはグローバル戦略を踏まえ、イコモスおよびＩＵＣＮと世界遺産条約締約国と提携し、世界遺産の内容の多様化を推進するために、以下のようなカテゴリーで専門家からなる研究会を組成し、世界遺産を増やすための指針を打ち出した。

・産業遺産
・鉱山
・聖なる山
・棚田
・文化の道
・運河
・岩石彫刻と岩絵
・人類化石遺跡群
・文化的景観

その結果、これらの各カテゴリーでいくつもの新しい世界遺産が誕生した。私がユネスコ時代の一一年間、さらにはユネスコから帰国してからの一二年間に関係したいくつかの具体例について述べてみたい。

文化的景観／岩石彫刻と岩絵

ソヴィエト連邦解体後の一九九一年に独立したアゼルバイジャンでは、「ゴブスタンのロック・アートと文化的景観」が、二〇〇七年に第二号の世界遺産となった。同国ではヘイダル・アリエフ初代大統領が率先し、二〇〇〇年に首都バクーの中核にある歴史的建造物を含む旧市街地を第一号の世界遺産として登録している（評価基準（iv）で文化遺産として登録）。私がユネスコ事務局長に就任（一九九九年）してすぐのことで、同大統領の依頼でその登録に全面的に協力した経緯がある。

その後、第二代のイルハム・アリエフ大統領から、第二号登録への強い要望を受け、ユネスコの親善大使であるアリエヴァ大統領夫人の案内で、アゼルバイジャン中央部の広大な高原にある岩絵が描かれた多数の巨石を視察した。これらの巨石には、四〇〇〇年にわたり人物や野生動物などが描かれており、視察後これらの岩絵が有力な世界遺産候補であると伝えた。大統領はその言葉で自信をもち、専門家の意見を取り入れた立派な世界遺産推薦書をユネスコに提出した。そして二〇〇七年に推薦書通り文化的景観と認定され、評価基準（iii）で文化遺産として登録された。すなわち、「岩絵」というカテゴリーの世界遺産が誕生したのである。

岩絵というカテゴリーに関連して言えば、同じくソヴィエト連邦解体後に独立したカザフスタンで、アゼルバイジャンの岩絵の登録より三年前の二〇〇四年に、「岩石彫刻」の世界遺産が誕生している。

それは、タムガリ峡谷にある動物などが彫刻された五〇〇〇点にのぼる岩石彫刻である。二〇〇一年にカザフスタンのかつての首都アルマティを訪れた時、そこからヘリコプターでタムガリ峡谷に案内され、これらの岩石彫刻の世界遺産登録について相談を受けた。私が見たのは岩石彫刻のほんの一部であったが、これらは世界遺産に登録される価値が十分あると伝えたところ、カザフスタン政府が推薦書をしっかり準備し、世界遺産に登録することに成功した。

日本

文化的景観と鉱山遺跡

日本においても奈良県、和歌山県および三重県に跨る「紀伊山地の霊場と参詣道」が二〇〇四年に文化的景観と認定され、評価基準（ii）、（iii）、（iv）に（vi）も加わり文化遺産として登録された。かくして日本においても文化的景観の第一号が誕生した。

世界遺産委員会は二〇〇一年までは毎年末に開かれる慣例になっていたが、二〇〇二年からは六月ないし七月に開会されることになった。そのため、二〇〇四年の夏に私が一時帰国した際に奈良市を訪問し、「紀伊山地の霊場と参詣道」に関係する三県の知事に、世界遺産認定状を手渡すことができた。

また、二〇〇七年には島根県の石見銀山遺跡が旧鉱山町や銀を積み出した港・港町、それらを結ぶ街道などとともに文化的景観と認められ、評価基準（ii）、（iii）、（v）で文化遺産として登録された。しかしながら、専門的見地から登録について審査するイコモスの世界遺産委員会への勧告は、石見銀山はいずれの評価基準にも該当しないので世界遺産として登録することに賛成しないというものであった。結局、日本政府が世界遺産委員会のメンバー国を説得することで、世界遺産委員会では日本の推薦の通り世界遺産に登録された。かくして日本で「鉱山遺産」の第一号が誕生した。

私は石見銀山遺跡のある島根県の隣の山口県の田舎で小学生時代を過ごしているので、石見銀山への個人的な親しみから世界遺産に登録されたことを非常に嬉しく思ったが、イコモスの勧告を覆したことについては、ユネスコの事務局長として複雑な気持ちであった。イコモスの専門家は西欧の鉱山遺跡と比較して、石見銀山遺跡は保存状態がはるかに悪いためネガティブな判断を下したと思うが、遺跡の保全に最大限の努力をしてきたこともあり、日本政府のキャンペーンは一理も二理もあると思った。

フィリピン
文化的景観としての棚田

ユネスコは、世界遺産の新しいカテゴリーとして、アジアの米文化の一角を占める「棚田」について専門家とともに研究を始めた。その時にフィリピンのルソン島の北部にあるコルディリェーラ山脈の斜面にある棚田が世界遺産候補として選ばれた。同地には、人の手と環境が見事に調和した壮大な棚田が生み出されている。これはフィリピンの山岳民イフガオが二〇〇〇年以上前に造成を始めたとされ、ほとんどが手作業である。文化的景観と認定されて評価基準(iii)、(iv)、(v)で一九九五年に文化遺産として登録された。ユネスコ時代にぜひ棚田を訪れたいと思いながら時間の都合がつかず、フィリピンのユネスコ国内委員会がマニラにイフガオの女性を招いて、棚田の大型写真を展示した部屋で、米の種蒔きと刈入れの時の歌と踊りを見せてもらった。これはフィリピンの無形文化遺産の第一号であり、世界遺産と無形文化遺産の見事な結合を実見する貴重な体験となった。

アフリカの人類化石遺産

一万数千年前の旧石器時代末期に壁画が描かれたスペインのアルタミラ洞窟およびフランスのラスコー洞窟については前述したが、さらに遡る三二〇万年前の化石人骨が発見された場所が世界遺産になっている。それは、エチオピアのアワッシュ川下流域で発見された、アファール猿人の化石人骨群で、四〇人分の破片三〇〇個が一九七四年に見つかり、一九八〇年に評価基準(ii)、(iii)、(iv)で文化遺産に登録されている。そこで発見された全身の約四割が残る成人女性の化石「ルーシー」は特に有名である。遺跡自体は訪問する機会がなかったが、ユネスコ時代に、ルーシーの複製を展示する首都アディスアベバの国立博物館で、収蔵庫に眠る「本物」に会うことができた。

ゴブスタンの岩絵(アゼルバイジャン、2007年登録)

ルソン島の山岳地帯に広がるコルディリェーラの棚田はアジアを代表する文化的景観(フィリピン、1995年登録)

また、エチオピアには全部で八件の文化遺産があり、同じく川の下流域で化石人骨が出土した「オモ川下流域」もその一つである。数百万年の単位で他種類の化石人骨が見つかっており、そのなかには、最も初期のヒト属であるホモ・ハビリスが使った最古の打楽器も含まれる類のない遺跡である。同じく一九八〇年に、評価基準（iii）と（iv）で文化遺産に登録されている。

二〇〇一年にチャド共和国のチャド湖近辺で、フランスの調査団によって発見された約七〇〇万年前の頭蓋骨化石が、人類の進化研究に大きなインパクトを与えた。通称トゥーマイ猿人と呼ばれるこの化石を、「最古の人類」とする学説が有力である。ユネスコ時代にチャドを訪問したが、当時、その頭蓋骨は発見したフランスの学者が研究のためフランスに持ち帰っているということで、実見できたのは複製であった。また、発見された場所は湖の傍らで何も残っていないため、世界遺産として登録できる状況ではなかった。

一方、南アフリカ共和国が一九九八年に、ロベン島とともに世界遺産候補として推薦したのが、スタルクフォンテイン洞窟群をはじめとする遺跡である。首都ヨハネスブルクから三〇キロメートルほどの近郊にあるスタルクフォンテイン渓谷の洞窟群は、猿人（アウストラロピテクス）から原人（ホモ・ハビリスさらにはホモ・エレクトス）まで、時代も古くは四〇〇万年前から二〇〇万年前まで、幅広い人類化石が発見され、前述の東アフリカでの発見とともに、人類の起源をアフリカとする説の証左となっている。行政府のあるプレトリアから車でスタルクフォンテイン渓谷を訪れたことがあるが、特に興味深く視察したのが、遺跡で発掘された出土品を展示した国立自然史博物館（トランスヴァール博物館）である。後述するように、ロベン島は推薦書の修正が世界遺産委員会において求められ、それに合わせスタルクフォンテインも一年遅れて翌一九九九年に評価基準（iii）と（vi）で文化遺産として登録された。その後、二〇〇五年にマカパン渓谷、タウング頭蓋化石出土地が追加登録された。

周知の通り、南アフリカでは一九九四年までアパルトヘイト政策がとられており、アフリカを人類の起源とする学説を支持する化石人骨は忌避されてきた。アパルトヘイト撤廃後の一九九七年に世界遺産条約に参加するやいなや人類化石遺跡群が推薦され、二年延びたがロベン島とともに同国の世界遺産第一号となったのである。

アジアの原人遺跡群

アフリカで誕生した原人がアジアに移住したことを示すのが、中国やインドネシアで発見が相次いだ原人の遺跡である。まず中国では北京郊外の周口店の北京原人遺跡が、万里の長城などと同じく一九八七年に文化遺産として登録されている。周口店では一九二〇年代に発掘作業が行われ、北京原人（ホモ・エレクトス・ペキネンシス）の骨や遺物が発見されたが、戦後石灰などの採掘や工場建設で多くの遺跡が破壊された。一九八六年にようやく工場群が移転され、翌年評価基準（iii）と（vi）で登録された。ユネスコ時代に周口店を訪れ、竜骨山の麓にある遺跡の上に建設された自然科学博物館で、北京原人の化石や手製の石器、装飾品、火を使っていた証などの展示を見ることができた。

インドネシアでは、一九九六年にジャワ島のサンギラン初期人類遺跡が評価基準（iii）と（vi）で文化遺産として登録されている。サンギランでは一九三六年から一九四一年に行われた発掘調査でジャワ原人（ホモ・エレクトス・エレクトス）の頭蓋骨などの化石が発見された。化石のみならず住居跡なども発見されており、これらの出土品が公開されているサンギラン博物館は、人類の進化の歴史を学べる格好の場所である。

運河と文化の道

議長を務めた一九九八年の世界遺産委員会で、ベルギーのサントル運河に残る水力式リフトが周辺の運河と共に世界遺産に登録された。同運河には、一九世紀末に水位差を調整する開閉式のバルブを備えたリフトが八機建設され、うち四機が機能を保ったまま残っている。ユネスコ時代に訪れて、一九世紀においてそのような高いレベルをもつ独自の技術が存在したことに感銘を受けた。

同じくユネスコ時代には、一九九七年に文化遺産として登録されたパナマ歴史地区を訪れたことがある。近くにはパナマ運河の太平洋側の出口があり、さらに大規模な形で大西洋と太平洋を結ぶ運河が機能していることを直接見学することができた。

一九九三年にスペインにおけるサンティアゴ・デ・コンポステーラの巡礼路が世界遺産に登録された。この巡礼路は、フランスから始まっていたもので、一九九八年の世界遺産委員会では、(スペインの拡張ではなく)フランスのサンティアゴ・デ・コンポステーラの巡礼路として世界遺産に登録された。私は両国でこの巡礼路の一部を歩いている。先述の日本の世界遺産である「紀伊山地の霊場と参詣道」も、文化的景観であると同時に、信仰の道の世界遺産である。

産業遺産と鉄道遺産

ユネスコが世界遺産の内容の多様化という見地から力を入れたことの一つは、産業遺産の登録を増やすことであった。産業遺産というのは、生産や技術の発展に関わる遺産のことであり、特に、イギリスで始まった産業革命に関わる遺産に焦点を当てて議論が進められることもある。イギリスでは、二〇〇〇年にブレナヴォンの産業景観が評価基準(iii)と(iv)で文化遺産として登録された。ウェールズ州に位置するブレナヴォンは、一九世紀に産業革命が必要とする鉄鉱石と石炭の主要産地として栄えたところであり、鉄鉱石と石炭の採掘現場やこれらを使った製鉄施設、労働者の住宅などがしっかりした形で保存されている。次いで、同じくイギリスで二〇〇一年にスコットランド州のニュー・ラナークの綿紡績工場とそこで働いた人々の住宅等が世界遺産に登録された。同工場は産業革命時代にイギリスでの最大の綿紡績工場であった。以上二つの世界遺産をユネスコ時代に訪問することができ、一八世紀から一九世紀にかけてイギリスで始まった産業革命の一端を見ることができた。

なお、産業革命はイギリスで始まりヨーロッパ大陸に広がっていったが、世界遺産登録においては、ドイツはイギリスに先駆けて一九九四年にザール地方のフェルクリンゲン製鉄所（一九世紀に設立）を文化遺産として評価基準（ii）と（iv）により登録している。

ヨーロッパの産業遺産の関連では、スイスとイタリアに存在する鉄道遺産についても触れておきたい。最も有名なレーティッシュ鉄道は、アルプス山中を貫くスイス最大の私鉄である。アルブラ峠など数々の難所を越えて走るアルブラ線と、スイスのサンモリッツからイタリアへと抜けるベルニナ線の二つがある。一九世紀末から二〇世紀初頭に完成しており、アルプスの自然を損なうことなく高度な鉄道技術で建設されている。スイスが中核であるがイタリアにも広がっているので後述する国境を越えた遺産にもなっている。ユネスコ時代にアルブラ線に乗ったことがあるが、鉄道とアルプスの景観が見事に調和していることに感心した。

シリアル・ノミネーション

二〇一四年に群馬県の「富岡製糸場と絹産業遺産群」が日本の産業遺産第一号として評価基準

（ⅱ）と（ⅳ）で登録された。当初群馬県では明治維新直後にフランス技術者の協力を得て設立した富岡製糸場のみの登録を考えていたようだが、群馬県の相談を受け、富岡製糸場だけでも明治維新後の日本の最初の近代的な工場として価値があるが、やはり群馬県にある絹産業関係の他の資産も入れて「シリアル・プロパティ」*として世界遺産登録を目指すべきであると助言した経緯がある。その結果、富岡製糸場に田島弥平旧宅、高山社跡、荒船風穴を加えた四つの構成資産になった。これについて世界遺産委員会は「製糸とこれを支える養蚕の技術革新の過程を示す構成資産を併せもち、生糸を生産する過程全体を今日に伝える顕著な見本」と評価した。

シリアル・プロパティという新しい概念は二一世紀に入って誕生した。それ以前においても、例

スイスのサンモリッツからアルプスを貫きイタリアへと抜けるレーティッシュ鉄道（スイス、イタリア、2008年登録）

シリアル・ノミネーションの事例「富岡製糸場と絹産業遺産群」の田島弥平旧宅（群馬県、2014年登録）

えば一九九四年に世界遺産になった「古都京都の文化財」は京都市内および周辺にある一七の構成資産からなり、その一つ一つに顕著な普遍的価値があることが認定されている。他方、シリアル・プロパティにおいては、いくつかの都市に構成資産が分散し、一つ一つの構成資産には必ずしも顕著な普遍的価値がないとしても、構成資産全体として顕著な普遍的価値があれば十分とすることで、導入された概念である。このように、シリアル・プロパティという概念が導入されたことは世界遺産の内容の一層の多様化に貢献してきている。

世界遺産と日韓問題

二〇一五年に誕生した日本での第二号の産業遺産「明治日本の産業革命遺産・製鉄・製鋼、造船、石炭産業」もシリアル・ノミネーション*で、二三の構成資産からなり、八県の一一市に広がって存在している。このケースでも、全体として顕著な普遍的価値があると認定された。世界遺産委員会の評価は、非西欧地域の日本が西欧先進国からの技術導入によって短期間に飛躍的な経済発展を遂げたことを示す産業遺産群であるというものであった。その結果、文化遺産として評価基準(ii)と(iv)で登録された。しかしながら、日韓両国間では一九一〇年の日韓併合条約の歴史的な位置づけから始まり、歴史認識において残念ながら大きな隔たりが存在しており、「明治日本の産業革命遺産」についても日韓間で政治的な摩擦が生じている。「明治日本の産業革命遺産」は江戸時代末期から明治時代の一九一〇年までの期間を対象として世界遺産としての価値づけをしているが、日韓間で政治的な摩擦になっているのは一九四〇年代前半の朝鮮半島出身の労働者の取り扱いである。世界遺産の構成資産に関わる問題ではあるが、世界遺産として登録対象としている期間内に起こったことではないので、本来は「明治日本の産業革命遺産」と切り離して日韓間で話し合っていくべき問題ではないかと私は思う。

二〇世紀後半の建造物

世界遺産の内容の多様化の見地から、グローバル戦略以前に、すでに二〇世紀前半の建造物が世界遺産に登録されているが、二〇世紀後半にも拡大していく必要があるとの指摘が専門家からも寄せられた。幸い世界遺産条約上、文化遺産として登録する物件について何年よりも古いものでなければならないという制限はない。

そこで、二〇〇七年にメキシコの首都メキシコシティにある国立自治大学の中央大学都市キャンパスが評価基準（i）、（ii）、（iv）で文化遺産として登録された。第二次世界大戦後の一九四九年から、六〇名以上の建築家や芸術家を動員して広大なキャンパスに建設された、メキシコの伝統文化とアーバニズム、近代建築、芸術などが融合した建築物である。ユネスコ時代に同キャンパスを訪れたが、いくつかの建築物の外壁に描かれたアステカ文明の神々の巨大なモザイク壁画は圧巻であった。

一九七三年に建設されたシドニーのオペラハウスが、メキシコの事例と同じく二〇〇七年に評価基準（i）で文化遺産として登録された。実はかなり前にオーストラリア政府よりオペラハウスの世界遺産登録の推薦があったが、その時点では二〇世紀後半の建造物を対象とするかの合意がなく、審議が延期されていた。それが二〇〇七年になってようやく世界遺産に登録されたのである。

またフランスは二〇〇八年に関係六か国を代表し、二〇世紀の代表的な建築家ル・コルビュジエ（一八八七〜一九六五）が世界各地で設計した建築をシリアル・ノミネーションの形で世界遺産に推薦した。しかしイコモスの専門家は、ル・コルビュジエの仕事を代表するような資産に絞られていないと評価し、二〇〇九年と二〇一一年の二度にわたり、世界遺産委員会で登録決議に至らなかった。最終的に二〇一六年、フランスをはじめとした七か国一七の構成資産が、評価基準(ⅰ)、(ⅱ)に加え(ⅵ)も適用され文化遺産として登録された。ル・コルビュジエはフランスを中心としながらも世界各地で活動し、二〇世紀後半に近代建築を国際的に広めることに大きく貢献したことが評価された。ル・コルビュジエの建築を絞る過程で、日本の国立西洋美術館が資産から外される可能性が取り沙汰されたが、最終的に含まれることになった。かくして日本においても二〇世紀後半の世界遺産が誕生したのである。西洋美術館は戦後、日仏間の国交回復の象徴としてル・コルビュジエの設計により一九五九年に竣工した。設計に協力した彼の弟子である前川國男、坂倉準三、吉阪隆正は、その後日本を代表する建築家となった。

国境を越えた世界遺産

ここで注目すべきは、ル・コルビュジエの建築はフランスを中心としながらも他の六か国に跨っており、トランスナショナル(国境を越えた)資産となったことである。具体的に言えば構成資産が二か国以上に跨る世界遺産を意味する。最初のトランスナショナル資産は一九八〇年に登録された「ローマ歴史地区」で、隣接し合うイタリアとバチカンに跨っている。しかし二一世紀に入ってからは、ル・コルビュジエの事例のようにヨーロッパからアジア、中南米まで様々な地域に広がっていくようになり、世界遺産の地理的拡大に貢献するようになっている。

ほかにも国境を越えた世界遺産はいろいろな地域で関心を呼び、数も増えてきているが、逆に国境を越えてしまうとその国の独自性が希薄になるという理由で、それを拒否した例もあるのでここで紹介したい。それは、二〇〇四年に評価基準(ⅰ)、(ⅱ)、(ⅲ)、(ⅳ)で朝鮮民主主義人民共和国（北朝鮮）の世界遺産第一号として誕生した高句麗古墳群である。首都平壌とその周辺には、高句麗王国末期に造られた王や王族、貴族の墳墓群があり、天井や壁には美しい彩色壁画が描かれている。この墳墓を視察した画家でユネスコの親善大使も務めた平山郁夫氏は、世界遺産にふさわしいと進言された。私もユネスコ時代の二〇〇〇年夏に代表的な三つの古墳を訪れて、ユネスコとして古墳群の世界遺産登録に協力すべきであると確信した。これを受け、北朝鮮はユネスコが派遣した専門家の協力も得て推薦書を出し、事前審査にあたったイコモスからも高い評価を得た。

一方、高句麗は紀元前後に騎馬民族によって満州（中国東北地方）東部に興り、四世紀に朝鮮北部に発展した。四二七年に都を平壌に移すまでは、吉林省集安など中国が建国の地であった。こうした経緯から高句麗王国の古墳群がいまも多数残る中国は、それらを北朝鮮の古墳群と一緒に国境を越えた世界遺産にしたいと提案した。中国にある高句麗王国の古墳群はもちろんイコモスからも高い評価を得たが、国境を越えた世界遺産については北朝鮮が断固拒否し、それぞれ単独の世界遺産として登録されるに至った。

評価基準（vi）の意義とその取り扱いの変遷

本稿ではこれまでに評価基準（vi）について「顕著な普遍的価値を有する出来事」と言及していたが、正確に言えばそれに「生きた伝統、思想、信仰、芸術的作品、あるいは文学的作品と直接または実質的関連がある」が続く。世界遺産の対象となる文化遺産は記念物、建造物群、遺跡といった、「不動産の文化遺産」とも呼ぶべきハードを対象としたものである。しかしそのようなハードの資産にもソフトの側面が存在し、そのソフトの側面を評価するのが評価基準（vi）と言ってもよいだろう。

先に紹介したドイツのアーヘン大聖堂、フランスのヴェルサイユ宮殿と庭園などは、ハード面の評価に加え、ソフト面の意義を評価して評価基準（vi）が適用されている。日本の法隆寺、厳島神社も同様である。私が議長を務めた一九九八年の世界遺産委員会では、「古都奈良の文化財」は当初日本の推薦書では評価基準（vi）が含まれていなかったが、世界遺産委員会の席上で、他国の委員から評価基準（vi）を適用すべきであるという提案があり、満場一致で認められた。議長としてそれ自体は嬉しかったが、一九九三年に世界遺産となった「古都京都の文化財」については評価基準（vi）が適用されていないことが、改めて残念であった。

負の遺産と原爆ドーム

また、負の遺産であるセネガルのゴレ島、およびナチス・ドイツ時代のアウシュヴィッツ＝ビルケナウ強制絶滅収容所は評価基準（vi）のみで登録されている。この二件の先例を踏まえ、日本が原爆ドームを広島の平和記念碑として世界遺産候補として推薦したところ、世界遺産委員会で賛成論もあったが、日本の戦争被害者としての側面のみが強調され、戦争加害者の側面が軽視されるとして、登録に慎重な意見も出た。しかし、最終的には一九九六年に評価基準（vi）のみで登録された。賛成票を投じた国の委員にも評価基準（vi）のみで世界遺産を誕生させることに対する批判的な意見が出されたので、一九九七年に作業指針が改定され、評価基準（vi）のみでの登録はできなくなった。

ネルソン・マンデラ大統領のもとでアパルトヘイト政策を廃止して新しい出発をした南アフリカが一九九七年に世界遺産条約に加盟し、翌年京都で開催された世界遺産委員会に初めて代表国を派遣してきた。そして大統領を含むアパルトヘイトに反対する黒人活動家三〇〇〇人以上を長年収監したロベン島の世界遺産登録を評価基準（vi）で推薦した。これに対し事前審査を行ったイコモスは、新しい作業指針に基づき評価基準（vi）のみの登録を回避する意見を委員会に提出した。私は議長席からロベン島の世界遺産登録はぜひ実現すべきであるが、作業指針に則り、もう一つ評価基準を加えるよう提案した。その結果、翌一九九九年に評価基準（iii）と（vi）で文化遺産として登録された。

その後、世界遺産センターとイコモスが評価基準（vi）の適用について再検討し、単独で登録する可能性を復活させる結論を出した。そして、二〇〇五年に作業指針の大幅な見直しが行われた際に、評価基準（vi）については他の基準と併せて用いられることが「望ましい」と緩和された。

これにより、評価基準（vi）のみで世界文化遺産が登録できるようになり、前に述べたモーリシャスのアープラヴァシ・ガートが世界遺産となったのである。一九九〇年代に内戦で破壊された後に再建されたボスニア・ヘルツェゴヴィナの古都モスタルの古橋も二〇〇五年に評価基準（vi）のみで世界遺産に登録されている。これは古橋と地区の再建に和解、国際協力、多様な文化・民族・宗教集団の共生の象徴という価値が認められたものである。

世界遺産登録の決め手である「顕著な普遍的価値」は文化遺産の場合、基本的にハードを中心として判断すべきであるが、そこに評価基準（vi）のようにソフト面の評価を加えるのみならず、ハード面で「顕著な普遍的価値」が認められなくても、ソフト面で認められることで登録できる道が開かれたことは、非常に重要である。

登録年	名称	国
1994	ウルル＝カタ・ジュタ国立公園（複合遺産）	オーストラリア
	フェルクリンゲン製鉄所	ドイツ
	アラビアン・オリックスの保護区	オマーン　＊2007年登録削除
1995	コルディリェーラの棚田	フィリピン
	宗廟	韓国
1996	サンギラン初期人類遺跡	インドネシア
	ウワダン、シンゲッティ、ティシット、ウワラタの古い集落	モーリタニア
1997	パナマ歴史地区	パナマ
1998	中央運河にかかる4機の水力式リフトと その周辺のラ・ルヴィエールおよびル・ルー	ベルギー
	フランスのサンティアゴ・デ・コンポステーラの巡礼路	フランス
1999	ロベン島	南アフリカ
	南アフリカ人類化石遺跡群	南アフリカ
2000	ブレナヴォン産業景観	英国
	城壁都市バクー、シルヴァンシャー宮殿、および乙女の塔	アゼルバイジャン
2001	ニュー・ラナーク	英国
	カスビのブガンダ王国歴代国王の墓	ウガンダ
2004	タムガリの考古的景観にある岩絵群	カザフスタン
	クタマク、バタマリバ人の土地	トーゴ
	高句麗古墳群	北朝鮮
	古代高句麗王国の首都と古墳群	中国
	ドレスデン・エルベ渓谷	ドイツ　＊2009年登録削除
	リヴァプール海商都市	英国　＊2021年登録削除
2005	モスタル旧市街の古橋地区	ボスニア・ヘルツェゴヴィナ
2006	アープラヴァシ・ガート	モーリシャス
2007	シドニー・オペラハウス	オーストラリア
	ゴブスタンのロック・アートと文化的景観	アゼルバイジャン
	メキシコ国立自治大学（UNAM）の 中央大学都市キャンパス	メキシコ
2008	ル・モーンの文化的景観	モーリシャス
	レーティッシュ鉄道アルブラ線・ベルニナ線と周辺の景観	スイス、イタリア
2014	アルデッシュ ショーヴェ・ポンダルク洞窟壁画	フランス
2016	ル・コルビュジエの建築作品 ―近代建築運動への顕著な貢献―	日本、フランス、ドイツ、 スイス、ベルギー、 アルゼンチン、インド

本稿に取り上げられた海外の世界遺産一覧（登録年順）

藤岡麻理子 編

登録年	名称	国
1978	アーヘン大聖堂	ドイツ
	メサ・ヴェルデ国立公園	米国
	イエローストーン国立公園	米国
	ゴレ島	セネガル
	ランス・オ・メドー国定史跡	カナダ
	ガラパゴス諸島	エクアドル
1979	アウシュヴィッツ＝ビルケナウ ナチス・ドイツの強制絶滅収容所	ポーランド
	独立記念館	米国
	モン・サン・ミッシェルとその湾	フランス
	シャルトル大聖堂	フランス
	ヴェルサイユ宮殿と庭園	フランス
	ヴェズレーの教会と丘	フランス
	ヴェゼール渓谷の先史時代の史跡群と洞窟壁画群	フランス
	ペルセポリス	イラン
	ウルネスの木造教会	ノルウェー
1980	アワッシュ川下流域	エチオピア
	ローマ歴史地区、教皇領と サン・パオロ・フオーリ・レ・ムーラ大聖堂	イタリア・バチカン市国
	オモ川下流域	エチオピア
	モヘンジョダロの遺跡群	パキスタン
1981	カカドゥ国立公園	オーストラリア
1983	タージ・マハル	インド
1985	アルタミラ洞窟と北スペインの旧石器時代の洞窟画	スペイン
	アボメイの王宮群	ベナン
	マラケシの旧市街	モロッコ
1986	大ジンバブエ国立記念物	ジンバブエ
1987	北京と瀋陽の明・清朝の皇宮	中国
	莫高窟	中国
	万里の長城	中国
	周口店の北京原人遺跡	中国
1991	ボロブドゥル寺院遺跡群	インドネシア
	プランバナン寺院遺跡群	インドネシア
	トンガリロ国立公園（複合遺産）	ニュージーランド
1993	サンティアゴ・デ・コンポステーラの巡礼路：カミーノ・フランセスとスペイン北部の巡礼路	スペイン

第七章　世界遺産の今後の課題

グローバル戦略を踏まえた地理的拡大と内容の多様化

世界遺産条約体制の最大の課題は、「グローバル戦略」に基づいた世界遺産の地理的拡大と内容の多様化である。世界遺産の数も一一五四におよび、世界遺産を有する国も一六七に増えたが、締約国のなかで世界遺産を保有していない国がまだ二七も存在する。これら二七のうち先進国はモナコだけで、残りの二六か国は全て途上国である。その中でもアフリカグループに一二か国ある。また、アジア太平洋グループにおいても八か国が世界遺産を保有しておらず、ブータンおよび東ティモールを除けば残りの六か国は全て島嶼国である。また、中南米グループの五か国も全てカリブ海諸国である。従ってこれらの国々に第一号の世界遺産が誕生するように、世界遺産センターが専門家グループと協力し、また世界遺産を多数有する先進国が積極的に支援の手を差し伸べ、登録を実現する必要がある。

世界遺産の内容の多様化については、グローバル戦略の採択後、ユネスコ、専門家グループ（イコモスとＩＵＣＮ）および関係諸国の努力により、これまで中核を占めてきた西欧の歴史都市・宗教建築以外のカテゴリーの物件がかなり増えてきている。しかしながら、前述のようにまだまだ世界文化遺産での西欧の比重は圧倒的に大きく、地理的な拡大とともに西欧の歴史都市・宗教建築以外のカテゴリーの資産をもっと増やしていく必要がある。

以上、世界遺産の内容の多様化について、おもに文化遺産に焦点を当てて述べてきたが、自然遺産関係についても述べておきたい。

世界遺産は全体で一一五四件を数えるが、そのうち自然遺産は自然遺産の要素をもつ複合遺産を合わせても四分の一でしかない。現在自然環境、さらに広く言えば地球環境の保全が人類にとって大きな課題になっている現状に鑑み、世界遺産のなかでも自然遺産、とりわけ生物の多様性に関連する評価基準（ⅸ）と（ⅹ）に基づく自然遺産をもっと増やしていく必要がある。日本では二〇二一年に「奄美大島、徳之島、沖縄島北部及び西表島」が登録され自然遺産が五件になったが、これをもって日本の自然遺産の登録は終了し、これ以上自然遺産を増やさないという意見もある。しかし、日本にはまだまだ有力な自然遺産候補があるので、これらについて登録に向けた努力を進めていく必要があると考える。

世界遺産登録後の定期的なチェック

世界遺産条約は採択五〇周年を迎えたが、世界遺産の保全・継承にはさまざまな課題があり、登録された資産とその価値が確実に継承されるための仕組みを作ることが重要である。

世界遺産条約第四条には、世界遺産に登録された資産はその国が保護・保存・整備して、次世代に伝える義務を有するとある。しかし、世界遺産登録資産の保全状況を世界遺産委員会に定期的に報告する義務は明示されていない。強いて言えば、世界遺産条約第二九条に記された、世界遺産関連の法的措置や行政措置について世界遺産条約の締約国総会、さらには世界遺産委員会に報告するという、一般的な一文のみである。つまり、世界遺産に登録された資産の価値が将来的に保たれるための仕組みの不在が世界遺産条約における課題の一つであった。そうした中、前述のように、オーストラリアのカカドゥ国立公園について問題が生じ、一九九八年末に京都で開かれた世界遺産委員会の前に世界遺産センターが専門家を派遣し、現地調査を行った経緯がある。その調査結果を踏まえて、私が議長を務めた世界遺産委員会の京都会議で議論されたが結論は出ず、再び調査団を送り、翌一九九九年の七月に世界遺産委員会の臨時会合を開いた経緯はすでに述べた通りである。このような何らかの脅威にさらされている特定の世界遺産の保全状況を調査し報告するミッションを、「リアクティブ・モニタリング」と呼ぶようになった。

しかしそれだけでは不十分ということで、一九九八年の京都での世界遺産委員会で、今後世界遺産条約締約国は自国の世界遺産の保全状況について、定期的に世界遺産委員会に報告することが決議された。これは世界遺産センターの事務方のイニシアティブであり、事前に議長の私にも相談があり全面的な賛成を表明した経緯がある。世界遺産委員会の決議では、全世界をユネスコが定める六つの地域グループに分けて、締約国は所属する地域グループの報告年にそれぞれ報告書を世界遺産センターに提出し、それを受けて世界遺産委員会で議論することになった。そのような作業は翌二〇〇〇年から始まった。

それまで既存の世界遺産でカカドゥ国立公園のように問題を生じた例は少なかったので、世界遺産委員会は新規登録のみに集中して審議を行っていたが、二〇〇〇年以降は新規登録案件の審議と各国から提出された定期報告を踏まえての審議と、二本立てで議論を進めることになった。

このように世界遺産委員会がすでに登録された世界遺産の保全状態に対し、深い注意を払うことになったのは、非常に歓迎すべき展開であると言えよう。

地域社会の役割と京都宣言

その関連で注意すべきは、一義的にその国の政府が保全の責任をもつにせよ、より具体的には世界遺産の存在する地域社会が保全に対するしっかりした注意を払うことである。従来、地域社会ではそこに存在する伝統的な不動産の文化資産を、世界遺産に登録することに大きな関心を寄せるが、登録されればそれで目的達成という感があったと言える。しかしながら、登録という目的を達成した後にこそ、その世界遺産がもつ顕著な普遍的価値をしっかり維持していくことが重要である。

二〇一二年は世界遺産条約採択四〇周年の年にあたり、ユネスコがいくつもの世界遺産保有国と連携して、各国で記念行事を開いた。日本でも、政府の提案を受け、その取りまとめの記念式典を二〇一二年に京都市で開くことになり、その京都会合で京都宣言が採択された。私も前ユネスコ事務局長として京都会議および京都宣言の作成に関与したが、そのなかで一番強調されたのは地域社会の役割、とりわけ世界遺産登録後の保全に関する地域社会の役割であった。京都会議以降、地域社会が責任感をもって対応しなければならないという考えが広まることになった。

このように世界遺産登録という目的達成後に、その世界遺産の保全について地域社会が全面的に協力していくことが改めて強調されたことは、非常に重要なことである。

保全への協力と保全状況への配慮

途上国が保有する世界遺産の保全に対する、ユネスコの積極的な協力も重要な課題である。世界遺産条約締約国の分担金で構成する世界遺産基金は、すでに述べたように、特に途上国による推薦書づくりには役に立っているが、登録後の保全の支援に関しては財源として十分ではなく、先進国からの任意拠出金に頼らざるを得ない状況にある。従って、先進国が途上国、とりわけ低所得国の世界遺産の保全、さらには修復に向けて任意拠出金を提供する必要がある。

危機遺産リストに登録されている世界遺産は二〇二一年の時点で五二件（文化遺産三六件、自然遺産一六件）となっており、その大半は途上国のなかでも地域紛争の多いアラブ諸国で二一件（いずれも文化遺産）、次いで自然環境の厳しいアフリカで一五件（うち自然遺産一一）となっている。

先進国における危機遺産は少なく、日本は幸いゼロである。

登録された世界遺産の保全状況については、世界の関心も高まっており、前述したように一九九八年の世界遺産委員会の京都会議で、毎年六つの地域グループが順番に世界遺産の保全状況の報告を行うことになったのを契機に、世界遺産委員会においても新規登録案件の議論だけでなく、既存の世界遺産の保全状況に一層の注意を払うようになり、時には保有国に対し、厳しい注文をつけるようになった。

登録削除された世界遺産

そのようななかでも、登録が削除された世界遺産が三件ある。第一の例は、二〇〇七年に起こったオマーンの「アラビアン・オリックス保護区」の登録削除である。アラビアン・オリックスはウシ科の一種で元々はアラビア半島全域に生息していたが、野生種は一時絶滅してしまった。その後、オマーンではアメリカからアラビアン・オリックスを譲り受け、自然保護区を設けて野生種として繁殖させることに成功した。しかし、油田開発を優先し、オマーン政府が世界遺産内の保護区の削減を提案してきたので、世界遺産委員会としては顕著な普遍的価値が失われるとして登録削除を決議したのである。当時私はユネスコ事務局長としてなんとか削除を避けたいと努力したが、成功しなかった。

第二の例は、二〇〇九年、ドイツの「ドレスデンのエルベ渓谷」の削除である。ドレスデンはザクセン州の州都でエルベ渓谷の一環に存在し、かつてはザクセン王国の首都としてバロック時代(一六～二〇世紀)に栄えた。一九～二〇世紀にかけて産業革命を担う造船所、鉄橋などが建造され、いまも残る。伝統的にドレスデン市はエルベ川の西側で栄えてきたが、その後東側で都市化が進み、東西を結ぶ新しい橋の建設が進められることになった。新しい橋が完成すると文化的景観が損なわれ、世界遺産としての顕著な普遍的価値が失われるため、地元では反対運動も行われたが、交通の利便性を望み賛成論が多数を占めた。反対運動を推進する人々からの要望で私はユネスコ事務局長としてメルケル首相に手紙を書き、このままでは貴重な世界遺産が世界遺産リストから登録削除されるリスクがあるので、橋の建設を止めるよう進言した。これに対し首相からは丁重な返事が届いたが、この問題はドレスデン市が決めることであり、連邦政府としては介入できないとのことであった。住民投票の結果、橋は提案通り建設されることになり、その結果ドレスデン市の中央部の文化的景観は損なわれ、二〇〇九年に世界遺産委員会で登録削除が決定された。後で聞いたところでは、賛成投票した人たちも、まさか登録が削除されるとは想像していなかったので、投票に対する反省の声があがったとのことであった。

第三の例は、二〇二一年のオンラインによる世界遺産委員会で生まれた。英国の世界遺産「リヴァプール海商都市」の登録削除がオンライン会議での投票で決定したのである。リヴァプール海商都市はイングランドの北西部にあり、一八〜一九世紀の産業革命後に産業港として栄えた都市である。二〇〇四年に文化遺産として登録されたが、その後開発が進み二〇一二年に危機遺産リストに登録された。その後、サッカースタジアムの建設が決定されたことを受け、顕著な普遍的価値が失われていく脅威が増大していることから、世界遺産リストから削除されることになった。

以上のように、一一〇〇を超える世界遺産のなかで登録削除された例は僅か三つしかないことになるが、やはりこのような例はなんとしても避けねばならない。世界各地において都市化が進み、世界遺産に登録された本来の建物群などが脅威にさらされがちになるが、開発を進めるにあたっても、顕著な普遍的価値を損なわないような形で進めてもらいたいと思う。

また、その関連で一九九八年の世界遺産委員会の京都会議において、自然遺産として評価基準（ⅸ）で登録されたソロモン諸島の東レンネル島について述べてみたい。南太平洋の島嶼国の世界遺産第一号となったこの島は、野生生物や珊瑚礁などが顕著な普遍的価値を有するとして登録された。しかし、ユネスコ時代の二〇〇八年にソロモン諸島を訪れた際、首相より東レンネル島の世界遺産エリア外に飛行場を造る計画があるので、現場を見て意見を聞きたいとの相談があった。これに対し、東レンネル島は小さい島で、エリア外であっても飛行場を造ればせっかくの顕著な普遍的価値を損なうことは明らかで、現場を見るまでもなく反対であると即答した。また同様の意見は面会した外務大臣など他の閣僚にも伝えた。それが功を奏したのかは定かではないが、飛行場の建設は中止の運びとなった。

無形文化遺産条約の誕生

現在、すでに述べたように世界遺産条約の締約国は一九四か国に達している。二〇〇三年に採択された無形文化遺産条約も、成立から二〇年経っていないものの、すでに締約国は一八〇を数え、世界遺産条約と並んでユネスコの二大文化遺産保全条約となった。西欧および北米の主要国が最後まで抵抗するのを押し切り、二〇〇三年のユネスコ総会で無形文化遺産条約の採択に持ち込んだ私としては、感慨深いものがある。

しかし、無形文化遺産条約の採択で反対投票はゼロであったものの、棄権した八か国の大半はまだ条約に加盟していないので、そのことを残念に思っているが、いずれ締約国は一九〇か国近くになるものと見ている。

重要なことは、世界遺産条約と無形文化遺産条約を全体として捉え、統合的なアプローチをとることである。それを踏まえて世界遺産に登録された資産と無形文化遺産に登録された資産の連携を図ることである。そのような事例は残念ながらいまのところ極めて少ないが、フィリピンの先住民イフガオ族の棚田と韓国の宗廟の例については、前述のように連携が図られている。

私がユネスコの事務局長として最初に出席した国際会議は、一九九九年一一月モロッコの第二の都市マラケシュで開かれた世界遺産委員会である。マラケシュのメディナ（旧市街）はモロッコの最初の世界遺産として一九八一年に評価基準（ⅱ）、（ⅴ）で文化遺産に登録されている。その機会にメディナを訪れたところ、いろいろな場所から集まった音楽家、魔術師、舞踏家、蛇使いなどの大道芸人が、実に多様な芸を披露していた。まだ無形文化遺産条約が成立する前であったが、幸い「人類の口承及び無形文化遺産に関する傑作の宣言」を採択することが、私が事務局長に就任する前の一九九七年の総会で決まっていたので、まず「傑作宣言」に推薦すべきであると現地で進言した。その後まさにこれらモロッコの伝統的な曲芸は「ジャマ・エル・フナ広場の文化的空間」として傑作宣言（正式名称は「人類の口承及び無形遺産に関する傑作の宣言」）に載せられ、次いで無形文化遺産条約の代表リストにも載せられることになった。

有形文化遺産と無形文化遺産への統合的アプローチ

二〇〇三年のユネスコ総会における無形文化遺産条約採択に向けた交渉は、主要な西欧諸国の猛反対で難航した。反対した諸国は、無形文化遺産を単独の条約の対象にする価値はなく、二〇〇一年から始まった傑作宣言で十分であるとの主張を繰り返した。そのような経緯も念頭に置いて、私は有形文化遺産と無形文化遺産に対し、統合的なアプローチの必要があると考え、二〇〇四年にユネスコ主催で有形・無形双方の専門家に、奈良市に集まり会合を開いてもらった。この専門家の会合で、有形文化遺産を対象とする世界遺産条約についてはすでに三〇年以上の歴史があるのに対し、無形文化遺産条約は採択されたばかりでまだ発効もしていない段階であったため、双方の専門家の意見はなかなか噛み合わなかったようだ。しかし、最終的には有形文化遺産と無形文化遺産の保全に対して、統合的なアプローチを作ることが適切であるという趣旨を盛り込んだ大和宣言*が採択された。

大和宣言が採択されて二〇年近くになるが、残念ながら有形文化遺産と無形文化遺産の双方の専門家の間で必ずしも十分な連携が行われているようには見えない。例えば、日本においては今まで述べたモロッコ、フィリピン、韓国などの例に見られるような有形文化遺産と無形文化遺産の一体化の例は残念ながら発生していない。

しかしながら、有形文化遺産と無形文化遺産に対する統合的なアプローチについては、もっと広く解釈してもよいと考える。例えば、京都では一七の構成資産からなる世界文化遺産が誕生しているが、同時に祇園祭が無形文化遺産に登録されている。祇園祭は特定の世界遺産と連携するものではないが、私が祇園祭に参列して感じたように、世界文化遺産が京都の各地で存在している状況から見て、そういう雰囲気のなかで祇園祭が開かれることは広い意味で統合的なアプローチがとられているると言えるのではないだろうか。このような例が日本のみならず世界各地で増えてほしいと願っている。

日本の文化遺産の三〇年——世界の潮流の中で

暫定一覧表の改訂を中心に

西村幸夫

一章　日本の世界遺産条約批准前後の動き

日本の世界遺産条約批准前後の文化遺産をめぐる世界の動き

日本の世界文化遺産登録をめぐる議論を中心にここ三〇年間の動きとそこでの文化遺産の論理の展開を振り返り、そこに反映されている世界の文化遺産を対象とした五〇年の流れを振り返ってみたい。筆者は日本の文化遺産の動きの大半に直接間接にかかわってきたので、本稿は個人的な立場から見たここ三〇年の振り返りの面もあることをあらかじめことわっておくことにする。

日本において世界遺産条約締結が国会で承認され、条約が発効した一九九二年はちょうど世界文化遺産をめぐる諸概念が、地域的にも対象となる資産の種別においても、限定的なものからひろくグローバルなものへと拡大していく時期でもあった。日本の当時の様子を記す前に、世界文化遺産をめぐる国際的な状況を概観しておきたい。

世界遺産条約は一九七二年のユネスコ総会において採択されたが、実際に発効したのは締約国が二〇か国に達した一九七五年一二月だった。最初の資産が世界遺産一覧表への搭載が決まったのはさらにその三年後の一九七八年だった。記念すべき初年度の登録資産は一二件、うち文化遺産として登録された資産は、キト市街（エクアドル）、アーヘン大聖堂（西ドイツ・当時）、ランス・オ・メドー国定史跡（カナダ）、ラリベラの岩窟教会群（エチオピア）、ゴレ島（セネガル）、メサ・ヴェルデ国立公園（アメリカ）、クラクフ歴史地区（ポーランド）、ヴェエリチカ王立岩塩坑（同）の八件だった。締約国が限られていたため、推薦があった資産も限られていたが、推薦された資産は単体の建造物から面的な歴史地区、さらには岩塩坑という産業遺産まで多様であった。

なお、ポーランドはこのほか、アウシュヴィッツ強制絶滅収容所とワルシャワ歴史地区を推薦していたが、これらは継続審議となり、前者は翌一九七九年に、後者は一九八〇年に登録されている。おどろくべきことに継続審議になった案件を含め上記一〇件の推薦資産に対するイコモスの評価書はイコモス事務局長から世界遺産委員会の委員長へあてたわずか一枚の手紙だけだった。評価自体は、委員会の席上にて口頭で発表され、後日それぞれ一～三ページの文書として書き残されている【註1】。初期の推薦書自体もおそらくはごく簡素なものだったにちがいない。

また、イコモスの審査もデスクレビューが主で、実際にミッションが現地に派遣されるようになるのは一九九二年からである【註2】。

世界文化遺産の評価にあたっては、当初、世界遺産一覧表に搭載する文化遺産の総数はせいぜい一〇〇件程度だという認識もあったことが知られており【註3】、おそらく誰でも共通して思い浮かべることのできるような世界的に有名な文化遺産が対象としてイメージされていたと想像される。しかし、世界遺産への推薦が増えてくるにつれて、条約が言うところの「顕著な普遍的価値」(OUV)*をどのように考えるのかという点について、厳密に考察する必要が生まれてくる。

世界遺産条約に顕著な普遍的価値という語が前文から本文第一九条にかけて計一一回使われているが、どこにもこの語の定義は書かれていないのである。他方、定義が明記されていないことは、時代の要請や議論の深まりとともに、顕著な普遍的価値を可変的に再定義できることも意味している。

そしてまさにそうしたことが一九八〇年代から九〇年代にかけて、急速な勢いで起こってきた。たとえば当初、世界文化遺産として想定されていた資産の類型として芸術的な傑作があったが、次第により多様な文化的文脈の中での人々の営みの代表例としての文化遺産といった視点へと移行していったことなどがその典型的な例である。

このことは「世界遺産条約履行のための作業指針」(以下、作業指針)*の条項の充実拡大にも見ることができる。世界遺産条約が実際に履行されることになった一九七七年に初めてまとめられた作業指針は合計二八節から成っていたものが、その後、世界遺産委員会での議論を踏まえて徐々に詳細なものになっていく。一九七八年に三〇節、一九八〇年に六六節、一九八三年に九九節、一九八七年に一一三節、一九九四年に一三二節、一九九六年に一三九節、そして作業指針の大改定のあった二〇〇五年に二九〇節となり、その後細かな改正を繰り返して、二〇二二年八月現在も二九〇節から成る作業指針として運用されている。

なかでも現行作業指針の第七七節に示されている顕著な普遍的価値の評価基準、文化遺産に対する六つの評価基準と自然遺産に対する四つの評価基準、合計一〇の評価基準の表現の細かな改正は、世界遺産の顕著な普遍的価値に関する認識がどのように変化していったのかを示すものとして興味深い。ただし、ここでは議論を日本に限定して論を進めることとする。

比較研究の重要性

もうひとつ、一九八〇年代から九〇年代にかけて世界文化遺産をめぐる議論として注目すべき点として、グローバル・スタディ及び比較研究*の問題がある。

一国の中で文化遺産の価値を考える際には、同等の文化遺産を国際的な視点で比較対照することはほとんどない。単純にその必要がないからである。文化遺産は一国の中での位置づけによってその価値が測られる。近代国家の国境がいかに人為的なものであるにしても、それ以外に資産の価値づけのあり方は成立しないのが通常である。

とりわけ日本のように日本語の言語圏と現代の国境とがほとんど完全に一致するような国におい

ては、国際的な文化遺産の位置づけというものが個々の資産の価値を測る際に問題になるような機会は、先史時代などを除けば、ほぼ皆無である。

しかし、世界文化遺産への推薦ということになると問題は全く異なってくる。世界のさまざまな文化圏の中での推薦資産の位置づけの問題が重要だからである。こんにちの世界文化遺産の推薦書では、こうした比較研究が幅広く行われているが、初期の世界文化遺産の推薦においては、そのような情報の蓄積は、欧州圏などを除いて、それぞれの締約国にはほとんどなかったため、これをどのように国際社会として補っていくかが課題としてあった。

そのために世界遺産委員会は予算を配分して、世界の文化遺産の見取り図を作るためのグローバル・スタディを主として一九八〇年代から九〇年代のはじめにかけて、進めようとしていた。たとえば、ヘレニズムやビザンチン文化、アステカ文明の前後、インカ文明、オセアニアの文明や、ルネサンスやバロックといった広範な文化・文明の見取り図を作ろうとしていたのだった。しかし、こうした壮大な文明論的な試みは世界遺産一覧表の必要十分な代表性を保障するという実務的な目的につなげるには、両者の性格はあまりに違いすぎていた。

一九九〇年代に入り、世界遺産、とりわけ世界文化遺産への登録推薦数が大きく伸長してくるにつれて、問題はより実務的に、いかにして世界遺産一覧表における地域間のアンバランス、文化遺産の種別によるアンバランスを解消するかという点に絞られていった。

具体的には欧州と北米以外の文化遺産をより積極的に評価できるような仕組みをいかに設けるかという点と、産業遺産や二〇世紀の遺産など、これまで登録事例が乏しい文化遺産の類型をより積極的に評価する手法の開発などが急務であると考えられるようになった。

これが一九九四年の世界遺産委員会において採択された「世界遺産一覧表における不均衡の是

正及び代表性・信頼性の確保のためのグローバル戦略」（以下、グローバル戦略）の基本的な立場だった。

これを契機として、国際記念物遺跡会議（ＩＣＯＭＯＳ、以下イコモス）*においても、具体的な資産別に世界文化遺産への可能性を検討する広範な比較研究、テーマ別研究が始まることになる。一九九六年の運河のスタディ【註4】をはじめとして、橋（一九九七年）、人類化石遺跡群（同）、鉄道（一九九九年）などのレポートが続々と刊行され始めた。そして、このタイミングがちょうど日本の世界遺産条約批准、そして世界文化遺産への推薦の時期とほぼ重なったのである。

たとえば、世界文化遺産として可能性のある鉄道を論じたイコモスの報告書には、モスクワの地

台湾の東南沖にある離島、蘭嶼の船小屋で聞き取り調査をする筆者（2001年）

パリのイコモス本部で世界遺産の審査をする筆者（2000年）

中国、麗江で世界遺産の保全状況を調査。筆者の左隣はユネスコ世界遺産センター職員の景峰（Jing Feng）氏（2008年）

下鉄、オーストリアのゼンメリング鉄道、アメリカのボルチモア・アンド・オハイオ鉄道など八つの鉄道が挙げられているが、その中に、日本の新幹線が加えられている【註5】。その理由として、新幹線の技術は二〇世紀の鉄道技術として鉄道旅行の概念を変革し、世界の地域開発のあり方に対して巨大な社会経済的インパクトを与えた点が挙げられている。

こうしたものの見方は少なくとも日本人にはほとんどなかったものだと言える。新幹線は日本人の日常に深く入り込んでいるからである。文化遺産のグローバルな比較研究は、新幹線のようなあまりにも身近になってしまったものの価値を外からの視点で、客観的に捉えなおす契機を与えてくれる。

日本が世界遺産条約を批准した一九九二年前後というのは、こうした時代であった。

日本の参加と最初の世界遺産暫定一覧表

一九九二年の世界遺産条約批准と並行して、日本政府は世界文化遺産として近年のうちに推薦する可能性のある資産を列挙したリスト、すなわち暫定一覧表をユネスコに提出している。一九九二年当時の「世界遺産条約履行のための作業指針」では、向こう五年ないし一〇年のうちに世界遺産登録を推薦する資産について暫定一覧表を提出することとされ、とりわけ文化遺産に関しては、暫定一覧表の提出が審査の条件として課されていた(一九九二年版作業指針、第七節、なお二〇〇五年以降は自然遺産に関しても同様の条件が課されている)。

暫定一覧表に挙げられた文化遺産は、「法隆寺」「古都奈良」「古都京都」「鎌倉」「厳島神社」「琉球」「姫路城」「彦根城」「日光」「白川郷」の一〇件であった。

世界文化遺産候補として、どのようにしてこれら一〇件が選定されたかに関しては、当時の記録を未見のため、詳細は不明であるが、容易に想像はつく。国宝の社寺建造物としての法隆寺・厳島神社・日光、国宝の城郭建築としての姫路城・彦根城、古都であり歴史的な建造物や庭園が集中する京都・奈良・鎌倉、伝統的集落の代表例としての白川郷、そして畿内を中心とした文化的伝統とは異なるものとしての琉球、という一〇件である。

芸術的価値もしくは歴史的価値の高い(国宝に指定されているような)単体建造物から集落や都市まで一定の配慮をして選択されているほか、歴史的文化的伝統を異にする琉球の資産にまで配慮している。これにあえて付け加えるとすると、南方の琉球文化と対をなすアイヌ文化や、当時ようやく概念が固まりつつあった文化的景観の有力な候補としての富士山などがあり得ただろう。この件を議論した調査研究協力者会議のメンバーであった坪井清足氏は、富士山が入らなかったことにやや不満だったと、かつて筆者に語ってくれたことがある。

先述したように世界の潮流が単体のモニュメンタルな建造物中心だった当初の世界文化遺産の関心が、文化の多様性を受け入れる方向へシフトしつつある時代背景と符合しているようにも見える。基本的に建造物が中心であるが、琉球文化のようにメインストリームの文化以外に配慮したものも加えられている。

文化的景観の議論は、世界遺産に関係した分野でも、一九八〇年代から「農村地帯の景観」が俎上に載り始めた段階で、イギリスが提案した湖水地方が一九八七年の第一一回世界遺産委員会(パリ)で検討された際、文化的景観を世界遺産の登録にあたってどのように扱うかが明らかになるまで決定を保留とすると決議された【註6】。

さらに一九九〇年の第一四回世界遺産委員会(バンフ)でも、イコモスは登録を提案したにもかかわらず、委員会は登録にあたってどのように評価基準を適用するのかに関して、さらなる検討が必要として、投票の結果、登録延期を決定している【註7】。

したがって、富士山が日本の暫定一覧表に搭載されなかったのも、当時の時代背景からも読み解けると言える。なお、このほかに自然遺産として屋久島と白神山地の二件が日本の暫定一覧表には挙げられていた。

文化遺産に関する暫定一覧表の作成やその後の推薦書の作成は、主として文化庁を中心になされたので、地方公共団体の関与は非常に限定的だった。暫定一覧表をユネスコへ提出した段階では、マスコミの報道もそれほど活発とは言えず、一般社会向けの世界遺産に関する情報は限られており、したがって社会における世界遺産への関心も、とりわけ文化遺産の側面では、それほど高いもので

ポントカサステ水路橋と運河（ウェールズ、2009年登録）。1805年完成の水路橋は今も25,000人が渡る英国最大の橋

イギリスの湖水地方は、1987年より推薦と見送りが続いたが、2017年に「文化的景観」の分類で登録された

はなかった。

むしろ文化財関係者を中心に、日本の木造を中心とした文化財建造物の保存修理の方法を石や煉瓦の建造物が大多数である世界の専門家にどのように理解してもらえるか、という点に一抹の懸念が存在していたということができる。——このことが日本政府をして、真正性（オーセンティシティ）*の国際会議の開催へと向かわせることになる。

世論が大きく動いたのは、実際に「法隆寺地域の仏教建造物」と「姫路城」の推薦書が一九九二年に提出され、翌一九九三年一二月に世界遺産登録が決定したことをマスコミ各社が一斉に大々的に報道したことが契機となった。それ以降、日本国内の世界遺産に対する関心は一挙に高まり、今日に至っている。

初期の世界文化遺産登録資産の論理とその顕著な普遍的価値

「法隆寺地域の仏教建造物」は、法隆寺及び法起寺あわせて一五・三ヘクタールを資産区域とし、そこに法隆寺西院の金堂・五重塔・中門・回廊や東院の夢殿・伝法堂など、さらには法起寺三重塔など、合計四八の堂塔がまとめて登録されたものである。

推薦書（日本語版）によると、これらの建造物のうち「一一棟は、現存する世界最古の木造建造物である」ことから評価基準（iii）を満たし、全体及び細部のデザインが「洗練された芸術的に優れたもの」であることから評価基準（i）を満たすこと、さらに、「当時の中国と日本の間、ひいては東アジアにおける密接な文化交流の証人となっている」こと及び「日本の、そして東アジアの木造の仏教寺院の歴史を物語る文化遺産がここに統合されている」ことから評価基準（iv）を用い、「（聖徳）太子ゆかりの法隆寺は日本に伝来した仏教の最も古い建造物を多数保存しており、宗教史上も価値が高い」ことから評価基準（ⅵ）に該当し、「日本における仏教建造物の最古の例として一三〇〇年間の伝統の中でそれぞれの時代の寺院の発展に影響を及ぼしており、日本文化を理解する上で重要な遺産となっている」ことから評価基準（ⅱ）にあてはまると主張している【註8】。

該当する評価基準の日本からの提案のうちイコモスは評価基準（ⅰ）、（ⅱ）、（ⅳ）、（ⅵ）を適用することを受け入れ、世界遺産委員会もこれら四つの評価基準で同資産の世界遺産登録が決議された。

また、日本からの推薦書では、世界遺産条約が謳う「顕著な普遍的価値」を説明するためのストーリーとして評価基準（ⅲ）、（ⅰ）、（ⅳ）、（ⅵ）、（ⅱ）の順に述べられているが、これは最終的なユネスコによる資産の概説では、定型にあてはめて評価基準（ⅰ）、（ⅱ）、（ⅳ）、（ⅵ）の順とされた。このように推薦書の中で評価基準をあてはめながら顕著な普遍的価値を論じる部分では、これを説得力を持って論じるために評価基準の順番をあえて変更することはよくあることで、そのことを通して、どのような論理で顕著な普遍的価値を組み立てようとしているのかという推薦書の立論の考え方を読み取ることができる。

「姫路城」の場合は、推薦書において、一七世紀初頭に盛んに建設された城郭建築のうち、天守を中心とした建造物及び石垣や濠等の土木工作物のいずれも良好に保存されている代表例として、「防御に工夫した日本独自の城郭の構成を最もよく示した城」として評価基準（ⅳ）に該当し、日本における封建制の時代の特質をよく表しており、「この時代の日本文化を理解する上で貴重な遺産」である点から評価基準（ⅲ）にあてはまるとしている。また、城の建造物群の「美的完成度は、わが国の木造建築のなかでも最高の位置にあり、世界的にみても他にないすぐれたものといえる」ことから評価基準（ⅰ）を満たすと主張している。

日本から提案されたこれらの評価基準はそのままイコモスの評価書において受け入れられたが、一九九三年の第一七回世界遺産委員会（コロンビア）では評価基準（ⅰ）と（ⅳ）のみで登録されている。なぜ評価基準（ⅲ）が外されたのかに関しては、議事録の上では記載がない【註9】。単なる転記ミスなのか、背後に何らかの意図があったのか、今となっては謎である。

しかしこの点を前向きに捉えると、評価基準（ⅲ）が定義する「ある文化的伝統又は文明の存在を伝承する物証として無二の存在」（作業指針第七七節）として、近世城郭群をシリアルで捉えることで世界文化遺産の登録を目指す可能性を残すことになったと言えなくもない。

以降、「古都京都の文化財」「一九九四年（ⅱ）、（ⅳ）」、「白川郷・五箇山の合掌造り集落」

法隆寺とともに日本初の世界文化遺産となった国宝姫路城（1993年登録）

法隆寺の金堂と五重塔。「法隆寺地域の仏教建築物」として1993年に登録

［一九九五年（iv）、（v）］、「厳島神社」［一九九六年（i）、（ii）、（iv）、（vi）］、「古都奈良の文化財」［一九九八年（ii）、（iii）、（iv）、（vi）］、「日光の社寺」［一九九九年（i）、（iv）、（vi）］、「琉球王国のグスク及び関連遺産群」［二〇〇〇年（ii）、（iii）、（vi）］というように暫定一覧表に載せられていた資産がほぼ毎年のように世界遺産登録へ向けて推薦書が提出され、すべて世界遺産委員会やイコモスから特段の問題点も指摘されることなく、登録されていった。

ただし、登録に際して用いられている評価基準を見ると、古都京都では提案した評価基準のうち（iii）と（vi）が、琉球王国では評価基準（iv）が採用されなかった。一方、古都奈良はイコモスの評価書では日本から提案した評価基準のうち（vi）が認められなかったが、一九九八年の第二二回世界遺産委員会（京都）での議論において、タイの委員国メンバーから、奈良の社寺建築は宗教建築として優れたものであり、信仰の力を感じさせる例外的な資産だとして評価基準（vi）を適用する提案があり、認められたものである。

また、琉球王国のグスク及び関連資産群は異なった性格の九つの点在する構成資産（四つのグスクと王宮、二つの聖地と墓地、庭園）によるやや異色のシリアル・ノミネーション*であるが、これら九つの構成資産で琉球王国の文化を示すのに必要十分であることを示す論理の構築が必要だった。日本の周縁部で中世以前より独立した王国を形成し、現在もなお独自の文化を保持している点で、ほかに類似の資産がないという主張はイコモスにも受け入れられた。

一方、イコモスでの審査の際、「琉球王国の関連資産群」とすべきではないのか、名称にグスクを入れる必要があるのかという問いかけがあった。検討の結果、グスクは当該資産群のシンボル的存在であるので、名称に是非残したいと日本側も譲らず、当初提案のままの資産名で登録されたものである。

このほか、白川郷は同様の合掌造り集落である五箇山と県をまたいだ推薦へと拡張されたほか、「原爆ドーム」の登録が、例外的に割り込む形で一九九六年に行われている。

日本が一九九二年に提出した最初の暫定一覧表の世界遺産登録はほぼ順調に進んでいったが、推薦された世界遺産の顕著な普遍的価値のストーリーの組み立て方は、当然ながらそれぞれに異なっている。

たとえば、古都京都と古都奈良は、いずれも古来の首都として日本の政治史上は同様の位置を占めることになるが、世界遺産の顕著な普遍的価値の論理は全く異なっている。古都奈良は八世紀という時代が国家形成の初期段階であり、かつ仏教が定着して間もないころの時代の姿を共時的に示す八つの構成資産（興福寺・東大寺など六つの寺院と春日大社、春日山原始林、平城宮跡）から構成されている。

対する古都京都は、千年の都に造営されたそれぞれの時代を代表する一七の構成資産から成っている。そのほぼすべてが国宝か特別名勝もしくはその両方に指定されており、一部は特別史跡にも指定されている。すなわち教王護国寺（東寺）から西本願寺までの一三か寺、加茂別雷神社（上賀茂神社）・加茂御祖神社（下鴨神社）・宇治上神社という三つの神社、そして二条城の計一七件である。

京都の顕著な普遍的価値は古くは平安京以前の創建になる上賀茂神社から、東寺（八世紀創立、以下同じ）、醍醐寺（九世紀）、平等院（一一世紀）や天竜寺（一四世紀）、慈照寺（一五世紀）などを経て、西本願寺（一六世紀）、二条城（一七世紀）までの各時代を通時的に並べる構成資産によって表現されている。

オーセンティシティに関する奈良会議と成立した奈良文書

日本が世界遺産条約を承認して、世界の舞台で文化遺産の保存修理を論じ合う際にひとつの懸念点があった。——日本には一八七八年の太政官布告二五一号、古器旧物保存方や内務省による一八八〇年の古社寺保存内規以来の長い文化遺産保存の歴史があり、文化財建造物についても近代における保存修理の長い伝統がある。そしてそうした技術は、近世に遡る大工や左官の伝統的な構法に由来していた。

しかし、これらの保存修理は木造建築物を対象に発達してきたものなので、柱や梁の部材の取り扱い方や土壁の塗りなおしなど、欧米での建築物保存の手法と大きな隔たりがあった。たとえば、一九六四年の第二回歴史的記念物に関する建築家技術者国際会議において、類推に基づく建築物の復元を厳しく制限するヴェネツィア（ヴェニス）憲章が制定されており、同憲章はその後の欧米社会を中心とした世界の建築物の保存における根本理念として確立していた。同じ一九六四年の国際会議においてイコモスの創設が決議され、翌一九六五年に設立されている。また、イコモス創設時の総会においてヴェネツィア憲章はイコモスの基本憲章として採択されていた。

ヴェネツィア憲章は当然ながら、石造や煉瓦造建築物を前提とした憲章であったので、木造の文化をどのようにヴェネツィア憲章とすり合わせるのかに関しては、保存理論上も、実務上も切迫した課題であった。

一方で、伊勢神宮の式年造替の古習は欧米でもよく知られており、そのことがまた、日本の木造建造物の多くは建て替えや部材の頻繁な取り換えによって成り立っているという誤まった理解をもたらしていた面が少なくなかった。

こうした点からも、建物の保存修理や移築などを柔軟に認める日本の文化財保存修理の方法が西欧の専門家中心の国際社会において認められるのか、という問題は、世界遺産登録を推薦するどの木造建造物にもあてはまる問題であり、推薦書が提出された時点ですぐにでも問われる問題でもあった。

他方、欧米の文化遺産専門家にとっても、日本の世界遺産条約承認によって、初めて、木造建造物の保存修理において長い伝統と、それなりに一貫した文化財保護の体系を有した先進国が、世界文化遺産の議論の土俵に上ってくるということから生まれる生産的な議論によるシナジー効果を期待する側面もあっただろう。

こうした中で、日本の貢献によって「オーセンティシティ」に関する国際会議を日本で開催することによって、上記の問題に対する一定のコンセンサスを得たいという方向が固まっていった。これが一九九四年一一月に奈良で開催されたオーセンティシティに関する奈良会議として具体化したのである。

筆者も参加した奈良会議の主要なテーマは、オーセンティシティを各国はどのように捉えているかということを通して、世界文化遺産の評価にあたって、オーセンティシティのテストの問題を、新しく解釈しなおしたいということであった。そのメインのモデルとして日本が選ばれた、より正確には、そのための議論の場を日本が誘致したのである。

なお、オーセンティシティは現在、真実性や真正性と訳されているが、日本にはもともと該当する日本語が存在しなかった。ということは日本にはオーセンティシティという概念がそもそも存在しなかったということではないのか。事情は他の国も同様だった。会議を通して、ほとんど非西欧諸国ではオーセンティシティの適切な自国語訳がないことがあきらかになった。世界各地の不動産文化財をめぐる多様な文化の文脈の中でオーセンティシティにあたる概念はどのように整理できるのか、会議のとりまとめの議論の中で、課題はより本質的なものへと深化していった。

会議の合間に、参加者は実際に奈良で行われている文化財建造物の保存修理の現場を訪れ、腐朽した建築部材は取り換えられるものの、新しい部材は伝統的な技術で加工され、さらに焼き鏝で修理年を明記して部分的に取り換えられる様子をじかに観察した。また、一九四九年に火災にあった法隆寺金堂の現在の様子と焼けた部材の保存状況を視察した。

六日間にわたる議論の中で、日本の木造建造物の保存修理にあたっては、部材のオーセンティシティは失われるものの、取り換えられた部材を加工する技術のオーセンティシティは受け継がれていること、すなわちモノだけではなく、無形の技術にもオーセンティシティの議論は拡大可能であ

伊勢神外宮にある別宮「多賀宮」。2013年の第62回式年遷宮に伴い建てられた社殿

日本の伝統的修理方法を見学する奈良会議の出席者。ベルンド・フォン・ドロステ（ユネスコ世界遺産センター長、右端）、カルメン・アニョン（イコモス・スペイン、右から3人目）、ジャン＝ルイ・ルクサン（イコモス事務局長、左端）など、各国代表が参加した。 出典：益田兼房「世界文化遺産奈良コンファレンスへ至る道」『月刊文化財』1995年2月号

ることを参加者一同が実感することとなった。

　その結果まとめられたのが「オーセンティシティに関する奈良文書」である。従来の議論は、オーセンティシティのテストとして、デザイン、素材、技術、そして周辺環境という四つの側面で検討することの上に成り立っていた。しかし、奈良会議で見えてきたことは、従来のオーセンティシティの議論は欧米の文化的な文脈の中での概念であり、他の文化圏では別の捉え方があるということであった。つまり、オーセンティシティは依って立つ文化に依存するのである。

　奈良文書はその第一一節において「価値とオーセンティシティの評価の基礎を、固定された評価基準の枠内に置くことは、不可能である」と明言し、文化遺産は「それが帰属する文化の文脈の中で考慮され評価しなければならない」と謳っている。

　続けて、従来のオーセンティシティの四つの側面を一気に拡大し、次のようなカテゴリーを例示している(奈良文書第一三節)。すなわち

・形態と意匠
・材料と材質
・用途と機能
・伝統と技術
・立地と環境
・精神と感性
・その他の内部要素と外部要素

オーセンティシティに関する奈良文書は、ヴェネツィア憲章以降、限定的・硬直的に運用されてきたオーセンティシティに関する姿勢を三〇年ぶりに大きく変換する役割を果たした。木の文化には木の文化なりのオーセンティシティがあるということから一歩進んで、多様な文化にはそれぞれのオーセンティシティがあり得るという議論にまで行きついたのである。これは文化の多様性をもとにしたオーセンティシティ論の宣言であった。

奈良会議以降、世界中でオーセンティシティに関する会議が開かれ、それぞれの文化圏において議論はさらに深まっていった。

しかし他方、文化の多様性に過度に依拠すると、たとえば機能さえオーセンティックであれば材料のオーセンティシティは犠牲にしてもよいといった放縦を許容することになりかねない。奈良文書はそうした危険性もはらんでいた。それもあってか、世界遺産委員会がオーセンティシティに関する奈良文書を正式に承認したのは一九九九年まで遅れた。また、奈良文書が作業指針の本文改訂にまで及んだのは二〇〇五年のことだった。

作業指針の二〇〇五年改定は大規模なものであったが、オーセンティシティに関しても作業指針の第八〇節から八二節にかけて、奈良文書の文言の多くが取り込まれている。

たとえば、二〇〇五年版作業指針の第八二節はオーセンティシティの属性として以下の点を列挙している。

・形態と意匠
・材料と材質
・用途と機能

・伝統と技術、管理体制
・立地と環境
・言語その他の無形遺産
・精神と感性
・その他の内部要素と外部要素

ほとんどがオーセンティシティに関する奈良文書第一三節に由来していることが分かる。また、奈良文書そのものも二〇〇五年版作業指針の付属文書四として加えられた。

いずれにしても、木造建築が中心の日本の文化遺産の考え方を世界に認知してもらうことを当初の目的とした奈良会議は、はるかにそれを超える普遍的な保存哲学に関わる成果をもたらした。こうした成果を予期していたか否かにかかわらず、これは世界遺産に対する日本の大きな貢献のひとつとなったと言うことができる。

オーセンティシティに関する奈良文書の議論をさらに突き詰めていくと、大工技術のような無形の文化遺産を有形の文化遺産の中にどのように位置づけるべきか、あるいは無形の文化遺産の価値を独立して評価すべきではないか、というもうひとつの大きな課題に突き当たることになる。

この点に関しては、同じく奈良を舞台に、有形文化遺産と無形文化遺産の専門家が一堂に会する初めての国際会議が二〇〇四年一〇月に開催され、その成果として、「有形文化遺産及び無形文化遺産の保護のための統合的アプローチに関する大和宣言」が参加者によって採択されている。

宣言は、表題にあるように有形と無形の文化遺産保護のために接点を見出すべく開かれた会議であった。前年の二〇〇三年にユネスコ総会において無形文化遺産条約が採択されたところであったので、さらなる進捗が期待された。しかしこれは、有形と無形の専門家が相まみえる初めての機会であったので、ようやく議論の糸口がつかめたということにとどまった。

祭礼などに見られるように、無形文化遺産は時代と共に内容が変化していくことが日常的にみられるため、そもそもオーセンティシティという概念そのものが用いられない。オーセンティシティに関する奈良文書の思想をそのまま無形文化遺産に延長していけばいいというような単純なものではないということを、同参加者のひとりとして、筆者も痛感した記憶がある。

しかし、オーセンティシティひとつをとっても、有形文化遺産と無形文化遺産とでは議論の土台が異なっているということを、それぞれの関係者が認識することから、両者の協調がスタートしなければならないということを理解し合えたという点では、最初の一歩としては意義のあるものだったと思う。

少なくとも、有形文化財はそれを支える無形の技術がなくなると継続し得ないので、有形文化遺産にとって無形文化遺産はコインの裏側のような存在であるということを、有形の専門家はこれまで以上に実感するようになってきたということは言える。

原爆ドームの世界遺産登録

原爆ドームの世界遺産登録は他の資産とはまったく異なった道筋をたどっている。

原爆ドームは、当初の暫定一覧表作成の段階では文化財指定もなされておらず、議論の対象外であった。しかし、一九九二年六月に世界遺産条約が国会で承認された同じ月に広島市議会は原爆ドームを世界遺産にする意見書を全会一致で採択し、内閣総理大臣以下関係者に送付している。同じ一九九三年六月には市民による「原爆ドームの世界遺産化をすすめる会」が結成され、国会請願へ向けた署名運動が開始されている。署名は翌一九九四年三月までに一六四万人を超え、原爆ドームを世界遺産にする請願は一九九四年、衆参両院において採択されている。この間、広島県や広島市をはじめ県内の自治体から国に対する原爆ドームの世界遺産登録を求める要望書・意見書の採択が相次いだ。

こうした声に押されて、文化庁は一九九五年三月に記念物の指定基準を改正し、記念物指定の対象を第二次世界大戦終結時頃まで拡大した。これを受けて同年六月に原爆ドームは国の史跡に指定され、同年九月に暫定一覧表に追加記載された。そしてただちに同月のうちに世界遺産登録へ向けた推薦書がユネスコに提出されている。これは厳島神社の推薦書提出と同じタイミングだった。

推薦書において、原爆ドームは「人類史上初めて使用された核兵器の惨禍を如実に伝えるものであり、時代を越えて核兵器の究極的廃絶と世界の恒久平和の大切さを訴え続ける人類共通の平和記念碑」であるとして評価基準（ⅵ）に該当し、かつ同基準を用いる際は「例外的な場合」もしくは他の評価基準と共に用いられる場合に限るという当時の作業指針第二四節のうちの「例外的な条件の要件を満たす」として提案されたものだった。

イコモスは一九九六年一〇月付の評価書の末尾に結論として、「原爆ドームは、人類によって造られたもっとも破壊的な力による爆発ののち、半世紀以上もの間、世界平和達成の厳しく力づよいシンボルである」【註10】と述べ、評価基準（ⅵ）のみでの登録を推薦している。原爆ドームの世界遺産登録の提案は、しかしながら、国際社会において政治的意味を持つことになる。世界遺産委員会においても同様だった。

一九九六年一二月に開催された第二〇回世界遺産委員会（メリダ）において委員国であったアメリカと中国はそれぞれ声明を発表して、採決を棄権している【註11】。

アメリカは声明において、日米は同盟国であり、強いきずなで結ばれているが、それでもなおアメリカは原爆ドームの世界遺産登録に同意できないと述べ、原爆投下は第二次大戦を終結させるための手段であってそれまでの戦争の展開という歴史的文脈を抜きにして、原爆投下のみを取り上げるのは不適切であると批判している。加えて、第二次大戦の遺跡は世界遺産条約の対象外であるとして、第二次大戦に関する遺跡の扱いは今後の検討に待つべきだと主張した。

中国の声明は、他のアジア諸国も第二次大戦では辛苦を経験した。原爆ドームを世界遺産に登録すると、こうした事実とはかけ離れた主張を助長させかねない（日本が原爆の被害者としての側面のみを強調することは歴史を曲げてしまうことになる――の意味）と主張している。

日本の従来の立場からすると、原爆ドームの世界遺産登録へ向けた推薦書提出は、大きく踏み込んだ一歩であったと言える。ただし、近年の戦争遺跡をどのように取り扱うべきかというアメリカの声明にある問いかけは未だに解決されないままである。

近年でも、フランスはノルマンディー地方の主導のもと、第二次大戦時のノルマンディー上陸作戦の現場の約八〇キロメートルの海岸線をデイ・ビーチというタイトルで二〇一八年に世界遺産登録へ向けた推薦書をユネスコに提出しているが、その後、動きは停滞したままである。同様の問題は、第一次大戦の激戦地、西部戦線の墓地等がベルギーとフランスの提案で提出されたものが、審議が持ち越しとなるなど共通した課題となっている。この点に関して、二〇一九年にユネスコが開催した専門家会議では、これら国によって意見が分かれるような資産や対立・抗争などネガティブな資産は世界遺産条約の趣旨から外れるので、たとえばユネスコの「世界の記憶」プログラムなど、他の仕組みを用いるべきで、世界遺産登録とは切り離すべきだと結論付けている【註12】。この論点に関しては、本論の末尾において再び触れることにする。

国によって立場が異なる事象に対する歴史認識をどのように扱い、遺産としての価値を共有するための合意を形成していけるかは、古くて新しい問題である。世界遺産に議論を絞っても、政治体制や歴史認識など埋めることが困難なテーマに世界遺産はどこまで関わるべきなのか、関わることができるかという問題を私たちは考える必要がある。原爆ドームの世界遺産登録はそのことを私たちに思い起こさせてくれる。

なお、原爆ドームに続いて一九九九年には南アフリカのロベン島が世界遺産登録された。ロベン島は政治犯を収容した刑務所があった島で、ネルソン・マンデラの二七年に及ぶ獄中生活のうち、ここで一八年間服役していたことで有名になった島である。一九九九年の世界遺産委員会ではおおきな議論もなく、登録が決議された。顕著な普遍的価値はこの島が「抑圧と人種差別に対する民主主義と自由の勝利を見届けてきた」【註13】ことを取り上げている。

用いられた評価基準は（iii）と（vi）だった。（vi）は当然であるが、（iii）はロベン島の建築物はこの暗い歴史を見届けてきた証人であるといかにも苦しい理由を述べている。これは原爆ドームの際の議論を踏まえて、評価基準（vi）単独での登録を避けたためである。しかし、見るからに人為的であるため、世界遺産委員会メンバーからも見直しの声があがり、最終的に二〇〇五年の作業指針改訂にあわせて、「この基準は他の基準とあわせて用いられることが望ましい」（二〇〇五年版作業指針第七七節）という緩やかな表現に変更された。つまり、評価基準（vi）単独での登録も認められることになった。この規定は二〇二二年現在においても受け継がれている。

第二章　暫定一覧表の二〇〇一年追加記載をめぐって

暫定一覧表の二〇〇一年追加記載

当初の暫定一覧表記載の資産が順調に世界遺産に登録されていくにつれて、暫定一覧表の追加記載が次の課題となってきた。そうした状況下、二〇〇一年に次の三資産が暫定一覧表に追加記載された。

平泉
熊野古道
石見銀山

これらの選定基準は、一九九四年のグローバル戦略を受けて、日本としても、また世界的にも登録された件数が少ない、いわゆるその本来的な価値が過小評価されている資産の類型を優先的に追加する、というものであった。

すなわち、平泉は琉球王国と対をなす北方の日本周縁部の独自の文化を代表する資産として選定された。日本国内にも多様な文化が存在することを示すことは、文化の多様性を称揚する世界遺産条約にふさわしいと考えられたとも言える。

熊野古道は、当時ようやく注目されつつあった文化の道の代表例として取り上げられた。文化の道とは交易路や巡礼路に代表されるように、目的を有した人々の往来によって文化が伝播していく通路のことであり、その痕が種々の施設として街道沿いに遺されていることに着目した遺産類型である。
文化の道は元来は欧州評議会が一九八七年に開始した文化開発及び地域連携のプログラムがもとなっている。欧州評議会に認定された文化の道は、現在約三〇ルートにのぼっている。その発祥地がサンティアゴ・デ・コンポステーラだった。一九八七年にサンティアゴ・デ・コンポステーラの巡礼路が欧州評議会により文化の道として正式に認定されている。そして次のステップが世界文化遺産だった。一九九三年に同巡礼路がこの種の遺産類型として初めて世界遺産登録され、文化の道という視点から地域を見直す作業が欧州のみならず世界的に活発に行われるようになった。

熊野古道の場合も、紀伊山地というひとつの地域に吉野・熊野・高野山という三つの異なった宗教の聖地が存在し、それらが古道で結ばれ、その道は京大坂にまでつながっていたという。このように古道を軸に聖地を含めて考えるという視点はこれまでにほとんど例がないことから、グローバル戦略に即した提案となり得ると考えられた。

石見銀山も、グローバル戦略において過小評価されている資産類型として指摘された産業遺産に関する初の資産として暫定一覧表に加えられた。当時、アジアでは産業遺産として世界遺産登録されている資産はなかった。産業革命の時代よりもさかのぼる時代の銀山であることから、産業革命以前の伝統的な産業形態をとどめる遺産であり、いわゆる典型的な産業遺産ということではなかったが、産業革命が西欧から世界に広がったという図式では語ることのできない固有の歴史がアジアの一角にあることを示す意味では、文化の多様性に貢献する資産であるとされた。

それぞれ岩手県・和歌山県・島根県を中心に事務局が立ち上がり、推薦書の準備が進められた。初期の推薦書が国主導のもとで作成されていったのとは状況が異なり、構成資産所在地の県や市町村が中心となって、顕著な普遍的価値の構築や類似資産の国際的な比較検討などが進められることとなった。地方公共団体の負担が大きくなったと言えるが、同時に世界文化遺産への理解、なかんずく地元の文化遺産の国際的な価値づけに関する理解が格段に深まることとなった。

議論の深化とともに推薦書のボリュームも著しく増加し、推薦書本文だけで二〜三〇〇ページ、付属文書を含めると五〇〇ページに達するような分厚いものも見られるようになっていったのも、この頃からである。これに呼応するかのようにイコモスの評価書も次第に詳細になり、二〇〇一年に暫定一覧表に追加記載された三資産についての評価書の本文は平均で一〇ページを超えている。冒頭に触れたように、一九七八年の最初の審査にあたって記されたイコモスの評価書は一枚の手紙形式で、八件すべてが登録にふさわしいと簡単に報告しているのとは大きな違いがある。世界遺産の注目度が上がったことのほか、シリアル・ノミネーションが増えてきたこと、審査の態勢が整ってきたこと、顕著な普遍的価値や評価基準に関する理論化が進み、評価が体系だって行われるようになってきたこと、対象となる推薦資産が当初の案件ほど世界的に著名なものではなくなってきたために、審査自体が慎重になってきたことなどがその要因として挙げられる。

多岐にわたる議論のうち、ここでは顕著な普遍的価値に関わる点に絞って振り返ることとする。

二〇〇一年に日本の暫定一覧表に追加記載された三資産は、いずれもその後の推薦書準備の期間を経て、二〇〇四年から二〇一一年にかけて順に世界遺産登録された。その際に合意された資産のタイトルと評価基準は以下の通りである。

・「紀伊山地の霊場と参詣道」　二〇〇四年、評価基準（ii）、（iii）、（iv）、（vi）
・「石見銀山遺跡とその文化的景観」　二〇〇七年、評価基準（ii）、（iii）、（v）
・「平泉―仏国土（浄土）を表す建築・庭園及び考古学的遺跡群―」　二〇一一年、評価基準（ii）、（vi）

なお、三資産の選定にあたった有識者会議は付帯決議において富士山について触れ、早期に暫定一覧表へ追加できるように関係者の合意形成に努めるべきであると指摘している。

追加記載資産の世界遺産登録

紀伊山地の霊場と参詣道

「紀伊山地の霊場と参詣道」は、日本から提案された初めての文化的景観に関係する推薦案件だった。先述したように世界遺産条約の議論において、文化遺産の類型として文化的景観が定着するまでには一九八〇年代をとおしての長い議論が必要であった。そしてようやく一九九二年に作業指針の改訂が決議され、文化的景観は従来の記念工作物・建造物群・遺跡（条約第一条）と並んで、文化遺産の一類型として認められることとなった【註14】。

つまり当時、文化的景観をめぐる議論が世界中で活発に行われていたことに背中を押された形で、日本からも文化的景観のひとつの姿として熊野古道の巡礼道を軸とした提案がなされたのである。それは世界遺産一覧表を文化の多様性からも補完し、一覧表をより豊かにするものと考えられた。実際、日本から提出された当初の提案書における資産名は「紀伊山地の霊場と参詣道、及びその文化的景観」であった【註15】。

なお、推薦書の準備段階の一九九〇年に、和歌山県において「アジア・太平洋地域における信仰の山の文化的景観に関する専門家会議」が開催され、欧米ではなじみの薄い「信仰の山」という概念の詳細な検討が行われた。その背景には、もちろん熊野古道の世界遺産登録への準備があったが、それだけではなく、泰山（一九八七年）に始まり、黄山（一九九〇年）、トンガリロ国立公園（一九九〇年）などの資産の推薦が続き、今後もアジア太平洋各国で推薦が増えることが予想される信仰の山に関して、顕著な普遍的価値や世界遺産への登録基準をあらかじめ明らかにすることが求められていたという側面もあった。

六日間の会議を通して、アジア太平洋地域の信仰の山の特徴・意義、文化遺産及び自然遺産としての価値を検討する際の指標がまとめられ、作業指針に示されている評価基準の改定まで提案されている。この国際専門家会議は、のちに日本各地で数多く開催されるようになる世界遺産登録をめぐる国際会議の最初期のもので、かつもっとも成功したもののひとつであるということができる。

本会議の参加者の一人で、のちにユネスコ世界遺産センター長となるメヒチルド・ロスラー氏は後日、この会議を振り返り、自分が参加した国際会議の中でももっとも実り多かったもののひとつだったと感慨深げに語っていたのが印象に残っている。

こうした信仰の山の比較検討を通して、その価値のみならず、熊野古道の固有性もより明確に意識されるようになってくる。たとえば熊野古道の場合、巡礼路といっても、たんに目的の聖地に到着することだけが目的ではなく、大自然の中の険しい山岳路を行くことによって、文字通り心身共に清浄になる(すなわち六根清浄)という修験独特の参拝のあり方が存在しているのである。

また、古道に沿って王子や石造物が点在し、これらを結ぶ山中の小径とその周囲の森林が全体としてひとつの文化的景観を形成しているというものの見方は、日本においても従来にはなかったものだった。文化財保護法の改正によって文化的景観が我が国における文化財の類型のひとつとして公的に認知されるようになるのは二〇〇四年のことだった。ちょうど「紀伊山地の霊場と参詣道」世界遺産登録の年だった。

二〇〇四年の第二八回世界遺産委員会(蘇州)での審査は文化的景観への一般的な関心の高まりと紀伊山地の参詣道の巡礼路としてのユニークさもあって、ほとんど問題なく登録が決議された。

構成資産が三県にまたがり、大きく括っても霊場が三か所計一七資産、参詣道が六路線、細かく見ると参詣道は無数の断片から成り、コアゾーン全体の合計面積が四九五・三ヘクタールにも及ぶという複雑極まりない推薦書であったが、むしろ文化的景観の多様さを実証するような資産として歓迎されたのではないだろうか。日本側が提案していた評価基準（ⅱ）、（ⅲ）、（ⅳ）、（ⅵ）とその論拠もほぼそのまま受け入れられている。

なお、大辺路や小辺路、高野参詣路を中心に二二地点、合計四〇キロメートルの部分がのち国の史跡として新たに指定され、二〇一六年に世界遺産に追加登録された。これによって世界遺産に登録された参詣道の総延長は三四七・七キロメートルとなり、巡礼の全体性はより補強されたとイコモスから評価されている。

石見銀山

「石見銀山遺跡とその文化的景観」は、産業遺産として、銀の採掘から精錬、積出に至る一連のシステム全体を表す資産によって構成されることが肝要だった。一般に鉱山というと坑道や間歩と呼ばれるオープンカットによる採掘跡などに注目が限定されがちであるが、産業として成立するためには、従事する労働者の生活環境や流通のネットワークなども含めて、鉱山の仕組みの総体を過不足なく示す資産構成が求められる。

日本においても、国の近代化に貢献してきた文化財を近代化遺産と名付け、一九九三年には国指定の重要文化財建造物の類型のひとつに加えている。そして、近代化遺産を文化財として指定する際は、一件と称さずに一構（かまえ）と称することとしている。これはまさしく産業遺産がシステムとして成立していることを表現している。

世界文化遺産の要件として、オーセンティシティのテストがあることは先述したが、二〇〇五年版の作業指針以降、インテグリティの条件が付け加えられた。インテグリティは完全性や全体性と訳されるが、顕著な普遍的価値を示すための資産が全体として過不足なく揃っているか、資産に瑕疵がないかを示す考え方である。元来はエコシステム総体を評価することなど、自然遺産に適用されていた条件であったが、一九九八年にアムステルダムで開催された自然・文化両分野を交えた専門家会議において、自然遺産と文化遺産とは一連のものとして捉える必要性が謳われ、その結果、それまで別々に運用されていた自然遺産の四つの評価基準と文化遺産の六つの評価基準が統合されて、全体として一〇の評価基準とされた（二〇〇五年版作業指針より）。このほか、インテグリティに関しても、自然遺産だけでなく、文化遺産にも適用されることとなったものである。

そして産業遺産は、まさしくインテグリティの考え方を試す試金石でもあった。

石見銀山の場合、インテグリティを示すための産業全体としてのシステムは採掘・選鉱・精錬を担う銀山柵内から鉱山都市としての大森、精錬した銀を積み出すための港と港までの街道、そしてこれら全体を防衛するための山城群から成るものだった。

ただし、石見銀山には世界の他の銀鉱山都市とは異なるところがあった。それは、掘り出された富が地元に豊かな建築物群をもたらしたわけではなかったという点である。ポトシ［ボリビア、一九八七年、（iv）、（vi）］、グアナファト［メキシコ、一九八八年、（ii）、（iv）、（vi）］、ゴスラー［ドイツ、一九九二年、（i）、（iv）］、バンスカー・シュティヴァニツァ［スロバキア、一九九三年、（iv）、（v）］など、すでに世界遺産となっている中米や欧州の他の銀山では、富の結実として都市の豊かな町並みや大聖堂などが残されているのが通常であるのに比べて、天領であった石見銀山の銀はすべて江戸幕府の管理下に置かれ、港から積み出され、地元に建築物として豊かさが目に見える形で残されるということではなかったからである。

また、石見銀山が最盛期を迎えた一六〜一七世紀の東アジアでは、石見銀が地域の経済や文化に与えた影響を具体的に証明するような史資料は乏しかったため、実証的な議論には限界があった。アジア地域の銀鉱山の発掘調査も、国外では限定的にしか行われていなかった。

さらに石見銀山ではながらく手工業的な採掘技術が用いられ、近代的な機械化の波が及ぶ前に盛期を終えているので、鉱山の諸施設が小規模で、かつその大半が自然に戻っていたために、一時はアジアの経済に影響を及ぼすほどの莫大な銀を算出した銀山だったというかつての姿を捉えることが難しいという側面があった。加えて、発掘調査も限定的で、当時の集落の実態解明なども含めた

森に囲まれた石見銀山の清水谷精錬所跡（2007年登録）

石見銀山の大森地区。鉱山とその集落における文化的景観の保持が評価された

遺産の全体像を描き出すことには困難が伴った。

こうした課題が見えていたことから、イコモスの評価は厳しく、顕著な普遍的価値の証明が不足しているとして登録延期が勧告されたのである。登録延期の勧告は日本の推薦に対しては初めて示された判断だった。

これに対して、世界遺産委員国メンバーに向けて石見銀山の価値をより分かりやすく説明しようという努力が続けられた。たとえば、銀山周辺が森におおわれて、銀山遺跡がわかりにくいという指摘に対しては、採掘の規模が比較的小さく、公害で山林が枯渇するようなことが起きなかったこと、かつ掘りつくされた間歩周辺では植林がなされ、緑が戻ったこと、したがって現時点で銀山遺跡がわかりにくいのは、鉱山が自然環境と共生してきたあかしである、といった説明である。

また、発掘された鉄鍋などの遺物をもとに精錬方法の詳細な化学的分析が行われ、灰吹法が実際に用いられていたことが科学的に証明され、灰吹法による精錬の具体的な方法も明らかになっている。こうした実証的な研究成果が強力な説得力を持った点も大きかった。

一連の努力が功を奏して、二〇〇七年の第三一回世界遺産委員会（クライストチャーチ）において、石見銀山は逆転で世界遺産登録を果たしたのだった。認められた評価基準は、大航海時代において日本と東アジア及び欧州との盛んな交易と文化の交流をもたらしたこと（ⅱ）、灰吹法という古代からの精錬方法を精緻化し、江戸時代の鎖国によって西欧とは異なる文化的伝統を保持し続けたこと（ⅲ）、緑が戻った現状の景観も含めて、鉱山とその集落において文化的景観が保たれ、歴史的土地利用の様子を知ることができること（ⅴ）であり、これは日本が提案した評価基準と同一だった。

平泉

「平泉―仏国土（浄土）を表す建築・庭園及び考古学的遺跡群―」の世界遺産登録はさらに困難な道のりをたどった。

平泉の顕著な普遍的価値をどのように捉えるべきか、という根本のところから議論がなかなか収束しなかったのである。たとえば、長安など中国の都を手本とした日本古代の宮都から、中軸線の突き当たりに八幡宮を置く鎌倉のような中世の都市へと移行する過渡的な都市の形態を表す代表例という理解でいいのか、いや、一般庶民の居住の跡がなかなか読み取れない平泉はそもそも都市と呼べるのか、といった根本的な議論からスタートしなければならなかった。

そしてたどり着いたのが、塔山や金鶏山を聖なる山と捉えて、その山麓に時代と共に展開する寺院や政庁の重層から成る平泉の構造だった。こうした思想はこれまでの日本の古代都市にはまったくなかったものである。当初は重要視されていなかった金鶏山が政庁―浄土庭園―寺院の軸線の先に位置するフォーカルポイントとして重要な役割を果たしていることが認識されるようになり、世界遺産の構成資産に加えられた。金鶏山の山頂部からは経塚が発掘されており、埋経に用いられた一二世紀の銅製経筒も出土していることから、金鶏山が浄土信仰の一角を占めていることが明らかとなった。

こうして金鶏山と四つの寺院・寺院跡と浄土庭園のほか、政庁跡と外縁部に点在する四つの構成資産から成る平泉の浄土信仰を表す文化的景観の推薦書が二〇〇六年にユネスコに提出された。しかしこの推薦書は二〇〇八年の第三二回世界遺産委員会（ケベック・シティ）において登録延期と決議された。その主な理由は、浄土庭園を中心とした国際的な比較研究の不足と、申請の鍵だと日本側が主張していた聖なる山に向かう軸線自体がコアゾーンに含まれておらず、保存対象となっていないということだった。

　この決定を受けて、浄土思想の中心となる聖なる山と浄土庭園をつなぐ軸を提案の中心に据えた申請書の改訂作業が始まった。改訂された推薦書によると、浄土庭園は釈迦の生誕地ルンビニの方形の沐浴池、インドやアンコールでは方形の池塘（ちとう）としてあるものが、中国・莫高窟の壁画に描かれた方形の宝池、そして韓国・慶州の雁鴨池の有機的な造形を経て、日本に至ると仏堂と一体となった楽土を表す庭園、すなわち浄土庭園としてその理念・様式が確立したものとされ、その顕著な普遍的価値が国際的な比較研究の中で語られている【註16】。

　一方、構成資産としては、浄土庭園と直接の関係が薄い外縁部の四資産を一旦除外し、塔山と金

新羅王朝の離宮と雁鴨池。「慶州歴史地区」として2000年に登録

毛越寺の浄土庭園（平泉市、2011年登録）

鶏山と直接の関連が認められる四つの寺院（跡）・庭園と政庁（柳の御所）に絞った提案へと改訂している。

改訂された推薦書は二〇一〇年に再提出され、翌二〇一一年の第三五回世界遺産委員会（パリ）において世界遺産登録が決まった。ただし、日本が提案した評価基準のうち（iv）は認められなかった。この提案は平泉の時代の浄土庭園は建築・庭園の顕著な見本であると主張しているものだったが、イコモスの見解は、日本の浄土庭園は外来の仏教思想が日本土着の自然信仰と融合して作り上げられたものであるので、評価基準（ii）で評価すべきだというものだった。評価基準（ii）と（vi）については、日本側の主張が認められている。

ただし、政庁（柳の御所）はこれらの造形とは関連が薄いので、構成資産から除外すべきだというイコモスの主張に従って、政庁を除いた形で世界遺産登録されることとなった。これによって、その後、外縁部の資産の追加登録もあわせて、地元に課題を残すことになり、今日に至っている。

他方、信仰の軸線保存のためのゾーニングに関しては、次のような反論がなされた。すなわち、欧米の専門家にとっては軸線の議論は、たとえば道路や水路などによって画定された両者をつなぐ物理的な軸上の空間をイメージしてしまうもののようであるが、平泉で主張している聖なる山へ向かう軸線というのは、庭園における借景のように彼岸と此岸を視覚的につなぐものであり、必ずしも両者をつなぐ物理的な線が描かれているわけではない。こうした違いは文化圏による空間認識の違いに基づいているものなので、文化の多様性を尊重する世界遺産条約の立場からは日本の主張を受け入れるべきである、という主張である。

この日本側の主張は受け入れられ、世界遺産の構成資産のコアゾーンの境界は二〇一〇年提案書のままとされた。

第三章　暫定一覧表のさらなる追加記載

地方公共団体からの提案による暫定一覧表の追加記載

暫定一覧表記載の資産の世界遺産登録が続いたため、二〇〇六年にふたたび暫定一覧表の追加記載の議論が起こり、今回は追加資産の候補を地方公共団体から提案を受ける形で追加記載資産を決定することとして、公募が始まった。

このことは日本における世界文化遺産の議論に後戻りできない大きなインパクトを与えた。ひとつは、これまで世界遺産の暫定一覧表の作成は国の専権事項であったので、地方公共団体は受け身の対応しかできなかったところが、今回は自主的に提案を求められたことから、地域の文化遺産を見直す風潮が全国的に起こってきたことである。地域の文化遺産を新しいストーリーで語ることはこれまでにないものの見方を地域にもたらす可能性があった。

このことはのちに、二〇〇八年から実質的に開始された歴史文化基本構想や二〇一五年から認定が始まった日本遺産、二〇一八年文化財保護法の改正による文化財保存活用地域計画の導入などにつながることになる。

また、わがまちの宝が世界文化遺産になるかもしれないという期待は、夢のある話題としてマスコミも熱心に報道することとなった。しかし他方、自ら手を挙げた自治体は、世界文化遺産へ向けた推薦書作成の競争という長い消耗戦に追い立てられることとなったのも事実である。これは文化遺産の関係者にとっては、想定していなかった事態だった。

他方、地方公共団体からの提案は、どうしても地元の視点を逃れられず、グローバルな視点からオールジャパンの文化遺産を問題提起するといった姿勢は取り得るべくもなかった。たとえば、全国の茶室や大規模な日本庭園を一連のものとしてセットで世界文化遺産に提案するといった発想は、地方公共団体から生まれにくいと言わざるを得ない。

なお、地方からの提案にあたっては単体ではなく、シリアル・プロパティ*であることが求められた。当時、シリアル・プロパティによって、顕著な普遍的価値をめぐる新しい物語を形作ることが強く求められるような国際的な風潮があったことが影響したのだろう。たしかに単体の資産で世界文化遺産として推薦しようとすると、すでに登録されている有力な資産との差別化を図る必要があり、そのことがシリアル・プロパティに向かわせる国際的世論となったと考えられる。そのため、日本の暫定一覧表の議論もシリアル・プロパティによる新しい顕著な普遍的価値の物語を求めるという傾向にあったと言える。

二〇〇七年、応募があった二四件のうち、次の四件が暫定一覧表に追加記載された。

富岡製糸場と絹産業遺産群
富士山
飛鳥・藤原の宮都とその関連資産群
長崎の教会群とキリスト教関連遺産

残りの二〇件は継続審議となり、うち一九件は翌年度に再提案がなされ、これに新提案一三件を加えて合計三二件が新たに審査され、次の五件が二〇〇九年から二〇一〇年にかけて暫定一覧表に追加記載された。

北海道・北東北の縄文遺跡群
金と銀の島、佐渡―鉱山とその文化
九州・山口の近代化産業遺産群―非西洋世界における近代化の先駆け
宗像・沖ノ島と関連遺産群
百舌鳥・古市古墳群―仁徳陵古墳をはじめとする巨大古墳群

飛鳥宮跡に残る大井戸。「飛鳥・藤原の宮都」として登録をめざす　写真提供：明日香村教育委員会

青森市の三内丸山遺跡。「北海道・北東北の縄文遺跡群」として2021年に登録

このほか、例外的に二〇〇七年にル・コルビュジエ設計の国立西洋美術館が暫定一覧表に追加記載された。これはフランスが主導して進めていたル・コルビュジエの一連の建築作品の世界遺産登録の動きのひとつとして日本側が対応したものである。このために国立西洋美術館は同二〇〇七年に国の重要文化財に指定されている。一九五九年に竣工した西洋美術館は重要文化財指定段階で築後五〇年未満だったので、その点でも例外的な措置だった。

これら新たに暫定一覧表に追加記載した資産は二〇一三年の富士山を皮切りに次々に世界遺産登録されていった。登録時の正式タイトルと登録年、認められた評価基準を順に記すと表1のように

表1

富士山—信仰の対象と芸術の源泉	2013年	(ⅲ)(ⅵ)
富岡製糸場と絹関連遺産群	2014年	(ⅱ)(ⅳ)
明治日本の産業革命遺産 製鉄・製鋼、造船、石炭産業	2015年	(ⅱ)(ⅳ)
ル・コルビュジエの建築作品 — 近代建築運動への顕著な貢献	2016年	(ⅰ)(ⅱ)(ⅵ)
「神宿る島」宗像・沖ノ島と関連遺産群	2017年	(ⅱ)(ⅲ)
長崎と天草地方の潜伏キリシタン関連遺産	2018年	(ⅲ)
百舌鳥・古市古墳群—古代日本の墳墓群	2019年	(ⅲ)(ⅳ)
北海道・北東北の縄文遺跡群	2020年	(ⅲ)(ⅴ)

なる。

これらの資産の世界遺産登録の物語は現代史の部分であり、記憶に新しい。いまだ進行中の案件も存在する。すでに紙幅が尽きたので、顕著な普遍的価値に関して特筆すべき数点のみ概略を書き記すことにとどめ、詳細は他の機会に譲りたい。

富士山

富士山は当初、自然遺産としての登録をもくろんでいた。一九八五年に国際専門家会議が静岡で開催され、IUCNおよびイコモスの専門家も議論に参加している。その結果、自然遺産としての火山というよりも、日本文化の象徴としての富士山に焦点を当てた文化遺産としての価値が高いとされた。加えて、裾野の開発問題や山小屋周辺の環境問題の存在が、自然遺産としての推薦をためらわせたと言える。

以降、富士山は文化遺産としての世界遺産登録を目指すことになる。

「富士山―信仰の対象と芸術の源泉」は、タイトルが示すように、聖なる山という側面と北斎の富嶽三十六景をはじめとして多くの芸術家にインスピレーションを与えた山という二つの側面を同時に顕著な普遍的価値として取り上げた。――ここで誰しもひとつの疑問が湧くに違いない。信仰の対象にしても芸術の源泉にしても、そうしたことが起きるのは富士山の姿が類まれな美しさを誇っているからであるだろう。だとすると、なぜ評価基準（vii）を用いないのか、ということである。

評価基準（vii）は次のように定義されている。「最上級の自然現象、又は、類まれな自然美・美的価値を有する地域」（二〇二一年版作業指針第七七節）つまり、富士山の「類まれな自然美・美的価値」は顕著な普遍的価値のひとつではないか、という疑問である。ちなみに作業指針のこれらの文言は二〇〇五年の作業指針大改訂以来変わっていない。

評価基準（ⅶ）はかつての自然遺産の評価基準（ⅲ）を受け継いでおり、もともと自然遺産の評価基準であった。しかし、二〇〇五年の作業指針大改訂で評価基準が文化遺産・自然遺産をおしなべて（ⅰ）から（ⅹ）へと変更されたのは、自然美の基準を文化遺産で用いることも可能とする趣旨ではないか、と世界遺産条約の仕組みにチャレンジをすることも不可能だったわけではない。たしかに「美」を判断するのは人間であり、美の基準は文化的に育まれるものでもあるのだから、評価基準（ⅶ）を文化遺産に適用することを提言することはあながち暴論だとも言えない。その証拠に、世界遺産登録の最初期にイコモスによってこの評価基準（ⅶ）（ただし、当時はＮ（ⅲ）という基準だった）が三例ほど知られている【註17】。

しかし、日本側はそうした提案は行わなかった。申請者側にとって、他に類例のない議論をわざわざ仕掛けるメリットはないからである。おそらくはＩＵＣＮ側も評価基準（ⅶ）の判断をイコモスに委ねることは許容しないだろう。外部の目で見ると、富士山は、ひとつの重要な概念上のチャレンジを行う機会を逃したことになる。しかし当事者にとっては選択し得ない道であったと言える。

もうひとつ、富士山は文化的景観としての価値の提案も行わなかった。

富士山を見れば誰でも日本のことを指していると考える。富士山は日本及び日本文化を連想させる景観である。また、富士山は浮世絵の画題として数多く用いられたことは海外でもよく知られている。こうした景観を「連想的文化的景観」*と呼ぶが、富士山は、こうした連想的文化的景観として世界の代表例のひとつとしてひろく認められている【註18】。

ところが文化的景観のカテゴリーを日本は提案書の中で用いなかったのである。その理由は、文化的景観として提案した場合、世界遺産としての資産範囲をどのようにとるかという点の判断が困難であるということだった。浅間神社などの構成資産が山のふもとに散在し、これらの総体を文化的景観と呼べるのかという疑問もあった。

世界遺産の資産範囲は、当然のことながら、国内法による最大レベルの保護措置が求められる。通常は文化財保護法による文化財指定がなされていることが条件となる。富士山の場合、特別名勝である富士山の範囲及び史跡富士山の指定範囲が一義的にそれにあたると言える。特別名勝富士山の指定範囲は、主として五合目を一周する御中道下五〇〇メートルより上、山頂までの山容部分に吉田口や須走口、船津口、大宮・村山口（現富士宮口）の登山道を加えた部分から成っている。史跡富士山は、山頂部の信仰遺跡と登山道、山麓部の神社等から成る。大部分は特別名勝の範囲と重複しているが、山麓に点在する神社等には史跡が指定されているのみである。これに名勝富士五湖の範囲や名勝三保の松原の指定範囲が加えられている。細かく見ると、これに重要文化財に指定されている諸神社の建造物や国の特別天然記念物である湧玉池や天然記念物忍野八海や吉田胎内樹型、名勝及び天然記念物である白糸ノ滝などが加わるというきわめて複雑な構成をとっている。

なお、史跡としての富士山指定は二〇一一年に、従来の個別の史跡地に新たな候補地を加えて、一括して史跡指定されたもので、富士山の世界遺産登録を見据えた措置だった。こうした世界遺産に関連した史跡の統合的な再編や名称の変更の例は、平泉や佐渡金銀山、四国遍路道など他にも存在する。

複雑な資産構成ではあるが、問題はこれで文化的景観としての富士山を十分にカバーしているかという点である。さらに言うと、信仰の対象かつ芸術の源泉としての富士山の姿はどこまでか、それは現行法上で規制の網をかけることが現実的か、という問題がある。たとえば、三保の松原から望む富士山は名勝に指定されているが、望見できる富士山の山容全体が保全対象となっているわけではない。富士山の南麓には富士市の市街地が広がり、工場の煙突も少なからず見える。これらを文化的景観の範疇でコントロールすることは不可能であり、またそこまでの規制をかける必要性も高くはないだろう。

ただし、富士山の五合目より上だけが富士山を構成しているというのはやはり地域を限定しすぎているきらいがあるので、資産範囲を麓に広げるために、富士箱根伊豆国立公園（富士山地域）の指定範囲のうちの特別地区を中心に一部普通地区も含めてコアゾーンとしている。世界遺産の推薦にあたって、文化財指定された資産のみならず国立公園の地域を含めたのは富士山が最初である。

さらに、遠望される富士山の姿も富士山の重要な要素であるということから、重要な眺望地点として三保の松原と本栖湖西北岸の中ノ倉峠の二か所を選び、構成資産の一部としている。三保の松原は古来、富士山の遠望地として名高かった。一方、中ノ倉峠からの富士山の姿は、現行千円札に描かれている図柄であり、これも富士山を代表する遠望景観とされた。また、中ノ倉峠から富士山を眺めると麓に広がる樹林が重要な景観要素となっていることから、山麓部の樹林地にかかっている国立公園の特別区域の部分を構成資産の一部として取り込んだゾーニングを行っている。富士山のコアゾーンが北西の本栖湖側に延びているのはそのせいである。

富士山の世界遺産登録の際には、構成資産のひとつとして提案された三保の松原がイコモス勧告どおり除外されるのか否かだけに注目が集まったが、提案段階ではこのように多岐にわたる検討が必要だったのである。

産業革命遺産と潜伏キリシタン

「明治日本の産業革命遺産　製鉄・製鋼、造船、石炭産業」は、非西欧世界ではもっとも早く、かつ急速だった近代化のプロセスそのものを顕著な普遍的価値として、それを国防のもととなった重工業を中心とした産業遺産によって提案しようというものである。

ここで問題となったのが、稼働中の産業遺産の取り扱いだった。造船業や製鉄業を取り上げるからには、現在も操業を続けている世界的企業である三菱重工業（長崎造船所）や新日本製鉄（旧八幡製鉄所）の所有する資産を取り入れる必要があるものの、これらの資産を文化財として凍結的に保存することは不可能である。

そこで編み出されたのが稼働中の産業遺産の世界遺産登録にあたっては文化庁ではなく、内閣官房が事務局となって、港湾法やその他の関係法令を用いて保護措置をとることである。稼働中の産業遺産の定義があいまいなこと、遺産の保護を担保すべき法令の本来の目的が文化財保護とは異なること、保護措置を裏打ちする専門組織の継続的な関与の仕組みが見通せないことなど課題が残されているが、世界遺産登録にひとつの新しい方向を打ち出したと言うことはできる。しかし同時に、世界文化遺産の日本からの推薦にあたって、文化財保護に関して不透明なプロセスを内在させてしまうという問題もかかえ込むことになった。

「長崎と天草地方の潜伏キリシタン関連遺産」は、当初の資産名称にも表現されているように、もともとは長崎の教会群を世界遺産に登録する運動から動きが始まっている。二〇〇一年に立ち上がった有志の団体「長崎の教会群を世界遺産にする会」の活動である。そこから、暫定一覧表のタイトルにあるように「キリスト教関連遺産」へと対象が広がり、キリスト教の日本への伝播と普及、その後の禁教とそのもとでの信仰の継続、そして解禁後の信仰の復活という四世紀にわたる物語を顕著な普遍的価値の根幹として、これを主として重要文化財建造物である各地の教会堂・天主堂で示すという構成をとって二〇一五年に推薦書が提出されている。

しかし、教会群を提案の軸に据えると、世界各地の布教先に存在する多数の教会建造物と比較して顕著な普遍的価値を主張しなければならず、イコモスの理解が得られないことから、一旦推薦書を取り下げ、イコモスの助言をもとに潜伏キリシタンの時期に焦点を絞った顕著な普遍的価値を組み立て、二〇一七年に推薦書を再提出している。

潜伏キリシタンの時期を物語る資産は、教会堂よりもむしろ潜伏キリシタンの集落自体のほか、集落内の宗教指導者の屋敷跡、縁辺部にある潜伏キリシタンの墓地などが中心で、教会堂は禁教廃止後の歴史を物語る資産という位置づけとされた。したがって資産の中心は重要文化財建造物ではなく、集落とその周辺環境が一体となった重要文化的景観とされた。

キリスト教の潜伏期に力点を置いた顕著な普遍的価値は受け入れられ、潜伏キリシタンによる宗教的伝統を示すとして評価基準（iii）のもとで二〇一八年の第四二回世界遺産委員会（マナーマ）において世界遺産登録された。ただし大半の来訪者にとって教会堂が関心の中心であることに変わりはない。

百舌鳥・古市の古墳群と縄文遺跡群

「百舌鳥・古市古墳群―古代日本の墳墓群―」では、当初の副題であった「仁徳陵古墳をはじめとする巨大古墳群」からの変更が物語るように、巨大前方後円墳群のみに焦点を絞るのではなく、前方後円墳以外にも多様な規模のホタテ貝形古墳や方墳、円墳が集中して存在すること自体の価値に着目するように変わっていった点が特筆に値する。このように多様な形式の古代の墳墓が同時に存在することは世界的にまれで、かつ形式の異なる古墳もそれぞれに様々な規模のものから成っており、そこに一定の社会階層の存在を強く示唆している点こそが、百舌鳥・古市古墳群の顕著な普遍的価値ではないかと議論が進んでいったのである。

そして、四五件四九基の古墳から構成される古墳群の全体としての姿が、「古墳時代の政治社会構造、階層、高度に洗練された葬送システムを伝えている」【註19】としてイコモスに評価され、この趣旨がそのまま評価基準（iii）として二〇一九年の第四三回世界遺産委員会（バクー）において世界遺産登録が認められた。

全長が一〇メートルほどのごく小規模な古墳も、規模が小さいから価値が乏しいのではなく、全体の古墳群の中でひとつの位置を占めていることで、大きな物語の一部を成していることが価値を構成しているとみなされることになった。むしろ多様な古墳が残されている全体が大切なのである。

もうひとつの評価基準（vi）は、古墳群が文化遺産としてひとつの明確な類型を成していることから誰にも異論のないところだった。

「北海道・北東北の縄文遺跡群」の世界遺産登録は二〇二一年のことであり、私たちにとって記憶に新しい。二〇〇九年の暫定一覧表の追加記載から一二年目という長い道のりだった。当初想定されていた縄文遺跡の顕著な普遍的価値は「日本が誇る縄文文化・定住の達成・自然との共生」（二〇一六年パンフレットより）などと謳われていた。とりわけ日本文化の基底にある縄文文化の重要性に関しては、日本人誰もが心惹かれる主張であると言えよう。

ところが議論を進める中で、ユニバーサルな視点からすると、縄文文化を特別視する日本人の論理は海外にはなかなか通じないことが分かってきた。また、定住の達成にしても自然との共生にしても、この地だけの固有のものではないことから、さらに顕著な普遍的価値を深掘りすることが求められることとなった。さらに、縄文遺跡は日本中に遍在しており、重要な遺跡は他地域にも存在しているので、なぜ北日本の四県だけで資産構成を完結できるのかに関しても疑問の声があった。

こうした中、農耕を伴わずに採集・漁労・狩猟だけで一万年もの間、定住が継続したのはこの地の豊かな自然環境のおかげであること、それは日本海の生成によって暖流と寒流が交わるようになり、その結果海の幸（たとえばサケの遡上）や平地ブナ林の存在という山の幸（たとえばドングリの容易な採集）がこの地にもたらされた。それが多様かつ大規模な集落の存続を可能としたという視点を生み出した。

そして、一七の考古遺跡によって集落の発展過程が追えることから、世界でも稀有な一万年にも及ぶ農耕以前の人類の定住という文化的伝統［評価基準（iii）］と農耕文化とは異なる土地利用や定住生活の様相がうかがえる［評価基準（v）］として顕著な普遍的価値を有するという論理に至ったのだった。そしてこの二つの評価基準はイコモスにも認められ、二〇二一年の第四五回世界遺産委員会（福州、オンライン）において世界遺産登録が決議されることになった。

今後に向けて

最後に、世界文化遺産の今後のあり方について重要と思われる論点を簡潔に列挙して、論を閉じたい。

第一に、登録された世界遺産が一一五〇件を超え、うち文化遺産も複合遺産を加えると九〇〇を超えるという現状においては、もう一度、ユネスコの原点に返って、世界遺産として一覧表に新たに資産を追加することによって、どのように人々の相互理解を促進し、文化の多様性をよりよく指し示すにふさわしいか、そしてそれを通して人類の平和に貢献できるかを自問すべきだということである。

このように考えると、近年の対立や衝突に由来する資産は世界遺産とは別の形で扱われるべきだと言えるだろう。また、国境を越えた資産の共同提案などがもう少し増えていくことに期待したい。

直近では暫定一覧表の改訂の議論が始まっているが、ここにおいても提案される資産が日本を代表し、さらには世界の文化の多様性を豊かに反映し、世界遺産一覧表がより信頼に足るべきものとなることに貢献するものであること、という視点で作業が進められていくことを願っている。

第二に、一方で世界遺産は地域にも様々な力を与えてくれるものでもある。地域に裨益しつつ、世界にも貢献するという両面が資産の推薦には求められることになる。そこでは、地元自治体の果たす役割はこれまで以上に大きくなっていくだろう。

特に世界遺産に登録されている資産を単独のものとして捉えるのではなく、広域の中に位置する文化資源だと考えて、文化財保存活用地域計画などによって地域の歴史文化のマスタープランの中に位置づけるといったこともこれから進めていく必要があるだろう。

第三に、顕著な普遍的価値の議論を深めることは、世界遺産に限らず、文化遺産一般にとって、今後さらに重要な意味を持ってくるだろうということである。

たとえば日本においても、文化財の保存活用にあたって、対象とする文化遺産の「本質的な価値」とは何かという議論から出発することが求められるようになってきた。これは文化財版の顕著な普遍的価値とも言える。保存活用にあたって官民様々なセクターの関与が想定され、活用の方法も多岐にわたることが想定されるが、その時に常に立ち返るべきなのは、この文化財版の顕著な普遍的価値である本質的価値の議論である。

顕著な普遍的価値をたんに世界遺産だけの遠い世界の問題と捉えるのではなく、身近な文化遺産の問題に関しても、そもそも守るべきものは何なのか、その遺産が私たちにもたらしてくれる価値の物語とはどのようなものなのか、そこからどのような豊かな未来が構想できるのか、という議論を尽くすことで、文化遺産の保存と活用が真に望ましいものになっていくだろう。

第四に、すでに登録されている世界遺産の保全の問題がある。とりわけ、一定規模以上の現状変更行為の前に、そのアクションが遺産に及ぼす影響を評価するという「遺産影響評価」*の実施を世界遺産委員会から求められるケースが急増している。日本国内の世界遺産も例外ではない。

遺産影響評価に関しては、いずれの国においてもいまだに特定の法定プロセスが定められていない現状であるが、そうした中で有効な影響評価プロセスを確立していくことが緊急の課題として求められている。日本においても、従来の景観規制や環境影響評価のプロセスに文化遺産の顕著な普遍的価値への影響というステップを組み入れることによって、海外にも説明可能な遺産影響評価のプロセスを確立していかなければならない。この点に関しては、すでに世界文化遺産を有している地方公共団体において、地域の特性に応じた種々のフローが案出されつつある。今後の展開に期待したい。

註

1 Chiristina Cameron and Mechtild RösslMany, *Voices, One Vision: The Early Years of the World Heritage Convention*, Ashgate, 2013, p. 188

2 同上、p. 193

3 同上、p. 49

4 *The International Canal Monument List*, TICCIH/ICOMOS, 1996

5 Anthony Coulls, *Railways as World Heritage Sites*, ICOMOS, 1999, pp. 22-23

6 1987年第11回世界遺産委員会の決議（SC-87/CONF.005/9）

7 1990年第14回世界遺産委員会の決議（CC-90/CONF.004/2）。湖水地方はその後、ようやく2017年に世界遺産登録された。

8 世界文化遺産の日本語版推薦書の文言は、「文化遺産オンライン」（文化庁ポータルサイト）の世界遺産の項を参照した。

9 1993年第17回世界遺産委員会の決議（WHC-93/CONF.002/14）

10 1996年度イコモス世界文化遺産評価書より。

11 1996年第20回世界遺産委員会の決議の際の添付文書（WHC-96/COMF201/21 ANNEX V）

12 近年の紛争に関する遺産並びに他の負の遺産及び分断的遺産に関する専門家会合（2019年12月4-6日）の結果（WHC/21/44.COM/INF.8.1）

13 1999年度イコモス世界文化遺産評価書より。

14 1992年の結果、1994年版OGが改訂され、第35節から第42節において文化的景観の具体的な定義（「自然と人間との共同作品」combined works of nature and of man）や文化的景観の諸類型などが明記されることとなった。これは現在の2021年版作業指針でも、第47節、47の2節、47の3節として受け継がれている。

15 資産名として長いこと、前半部分のみで十分内容が伝わることから、のちに文化的景観の部分をカットして、現在のタイトルに落ち着いた。ただし、資産の内容が文化的景観そのものであることは変わっていない。

16 世界遺産登録推薦書「平泉－仏国土（浄土）を表す建築・庭園及び考古学的遺跡群」（日本語版）2010年、pp. 130-35

17 アトス山［ギリシア、1988年、(i)(ii)(iv)(v)(vi)(vii)］、メテオラ［ギリシア、1988年、(i)(ii)(iv)(v)(vi)(vii)］、ヒエラポリス・パムッカレ［トルコ、1988年、(iii)(iv)(vii)］の3資産。いずれの資産においてもイコモス及びIUCNは価値基準（vii）を提案していない。世界遺産委員会独自の判断で価値基準（vii）を付加したものと考えられる。稲葉信子氏によると、その後は価値基準（vii）を文化遺産に適用した例はないという（「富士山：聖なる山と世界遺産」『月刊文化財』第604号、2014年）。なお、価値基準の種別は2005年OG改訂後のものに合わせた。

18 たとえば世界遺産委員会のフランス代表をつめたレオン・プレスイールは、富士山が日本の芸術家に与えた影響を、フィレンツェ郊外の風景がトスカナ地方の芸術家に与えた影響、アパラチア山脈がフィレデリック・チャーチやトーマス・コールなどのアメリカの造園家に与えた影響と並べて例示している（Léon Pressouyre, *The World Heritage Convention, Twenty Years Later*, UNESCO Publishing, 1996, p. 30）

19 2019年度イコモス世界文化遺産評価書より。

主要参考文献

Chiristina Cameron and Mechtild RösslMany, *Voices, One Vision: The Early Years of the World Heritage Convention*, Ashgate, 2013
Amareswa Galla ed., *World Heritage: Benefits Beyond Borders*, Cambridge Univ. Press, 2012
Outstanding Universal Value: Compendium on Standards for the Inscription of Cultural Properties to the World Heritage List, ICOMOS, 2008 (WHC-08/32.COM/9)
Jukka Jokilehto, *The World Heritage List: What* is OUV?, ICOMOS, 2008
Knut Einar Larsen ed., *Nara Conference on Authenticity: Proceedings, Nara, Japan, 1–6 November, 1994*, Paris: UNESCO World Heritage Centre; Tokyo: Agency for Cultural Affairs, 1995
Léon Pressouyre, *The World Heritage Convention, Twenty Years Later*, UNESCO Publishing, 1996
『月刊文化財』文化庁文化財部監修、世界遺産特集（2020年11月号ほか）
『世界遺産と歴史学』佐藤信編、山川出版社、2005年
『世界文化遺産の思想』西村幸夫・本中眞編、東大出版会、2017年
松浦晃一郎『世界遺産：ユネスコ事務局長は訴える』講談社、2008年
毛利和雄『世界遺産と地域再生：問われるまちづくり』新泉社、2008年
『ユネスコ世界遺産年報』日本イコモス協会連盟、1996-2018年

日本の自然遺産二〇二二年

岩槻邦男

自然遺産とは

世界遺産は人類が共有すべき顕著な普遍的価値*をもつ資産と定義されるが、実際には、自然遺産と文化遺産がそれぞれ別個に設定されている。

一九七二年のユネスコ総会で「世界の文化遺産及び自然遺産の保護に関する条約(世界遺産条約)」が採択され、対象の物件(資産)が世界遺産リストに登録されることになった。表題には、文化遺産、自然遺産と並記されていて、世界遺産とは呼ばれていない。条約の表題では複合遺産*は無視されている。

世界遺産を創設しようという議論の背景には、文化遺産、自然遺産それぞれに歴史の潮流があった。文化遺産関連では文化財保護に係る動きである。紛争や開発によって損失する文化財が増えており、長い歴史を受けて、ユネスコは一九四六年の発足以来その保全に向けて重点的に取り組んでいた。一九五〇年代末に計画されたアスワンハイダムによってエジプトのヌビアの遺跡が水没の危機に瀕した際に、その救済を図った活動も、社会への問題提起につながった。これらの活動の過程で一九六五年にはイコモス(国際記念物遺跡会議)*が組織され、一九七〇年頃には文化遺産に相当するような事業を始める準備が整っていた。

一九四八年にユネスコに促されて創設され、一九五六年にＩＵＰＮからＩＵＣＮ(国際自然保護連合)*に名称を変更していた組織は、国、国の機関、ＮＧＯが並列した構成団体となり、純正な自然の保全に貢献しようとする。傘下の専門委員会(ＷＣＰＡ世界保護地域委員会)が一〇年に一度開催する世界公園会議では、最初の一九六二年の会議で、保護すべき地域の国連リストを編んだ。並行して、環境保全の重要さを認識し始めていたアメリカ合衆国では、世界最初の国立公園であるイエローストーンの指定一〇〇年に当たる一九七二年に世界遺産トラストを発足させようと準備し、ストックホルムで開催が計画されていた国連人間環境会議（環境サミット）の議題に提案もしていた。

この二つの流れがユネスコの組織内で調整され、世界遺産条約にまとめられた。だから、成立の背景からいっても、世界遺産は文化遺産＋自然遺産であり、条約の名称にもそれが反映されることになった。

実際の運用に当たっても、提案された事案を評価するのは、文化遺産はイコモス、自然遺産はIUCNで、それぞれの組織が指名した委員によって、独立に評価される。採択の可否はユネスコの世界遺産委員会*で決められるが、判断の基礎になる資料の評価の責任はイコモスとIUCNにある。（日本でも、推薦すべき資産を選定する作業は、自然遺産では環境省、林野庁に、文化遺産は文化庁などに任されている）。もっとも、最近では、これらの機関による評価に従わず、他の、多分に政治的な理由に基づいて、世界遺産委員会で逆転採択される事例が生じており、また別の問題ともなっている。

世界遺産の評価基準*（一七頁）は一〇項にまとめられるが、実際は（i）～（iv）は文化、（vii）～（x）は自然と、運用上ははっきり区別される。これは望ましいことではないのだが、曖昧さがないように、客観性と呼ばれる形が徹底されないと議論が収束しない最近の傾向に従って、実際に運用する際には、機械的区分が採用される。国際機構の議論などでは、やむを得ないと、不自然と感じている人も口に出さないまま従っているやり方である。

世界遺産条約に一本化される過程でも議論されたようであるが、世界遺産というなら、文化とその背景にある自然は統合して理解し、複合的な世界遺産とするのが望ましい姿である。理想的には自然の要素の強い世界遺産、文化に偏った世界遺産などとして運用すべきであるが、具体的な評価の過程では、自然遺産と文化遺産は別個に扱われ、両者それぞれに独立して申請され、文化遺産の審査でも自然遺産でも登録すべきと評価された資産が、結果として複合遺産になるのが現行のかたちである。

ただ、世界遺産のエンブレムは、文化の四角と地球の自然の円形が不可分離の関係にあることを示していると説明される。世界遺産委員会でも、根底には、文化遺産と自然遺産は元来別物ではないという共通の理解があるのだろう。

一章　日本における自然遺産

世界遺産条約が締結されても、日本ではなかなか批准されなかった。開発優先だった一九七〇～八〇年代の日本の世相には、特定の資産の保全は豊かになる道にとって邪魔になると考える風潮さえあったためで、メディアなどでも黙殺されており、世界遺産の意味はよく理解されていなかった。まだ日本列島改造論が幅を利かせていて、物質的に豊かな生活を求めた開発優先の思想が世論を席巻していたのである。ストックホルムの環境サミットの前年、一九七一年には環境庁が設置され、大石武一初代長官のもとで諸々の環境行政に弾みがついていた背景はあったが、自然遺産については世論を指導する具体的な作業は始まっていなかった。自然遺産を視野に入れた活動は、始まってはいたが、限られた有識者の間に留まっていた。

世界に二〇年遅れて、一九九二年にやっと世界遺産条約を批准したが、これは一二五番目の国としてで、先進国では最後のひとつ（オランダがまだ活動に参画していない）となるものだった。翌九三年には、早速法隆寺、姫路城の二文化遺産、白神山地と屋久島の二自然遺産が登録された。自然遺産の二資産については、後述するように、それぞれ別個に固有の理由があって、独立に提案され、登録にもち込まれたもので、日本の自然を広く展望して、そのうちから日本を代表する遺産を取り上げるという考え方はまだ主流ではなかった。

一九九三年に登録された日本の自然遺産

日本から最初に登録された二件の自然遺産は、世界遺産条約の批准を求める動きと同調し、日本にも自然遺産を登録しようと提起される材料になっていた二資産であるが、登録に向けた活動の背景はそれぞれに独立で、個性的だった。

白神山地

一九八〇年代初頭に、青森県と秋田県を結ぶ広域基幹林道青秋線の計画が示された。この計画に疑問を呈する環境保全活動を通じて、白神山地のブナ林は、道路などで分断されていない日本最大規模の面積を占めるものであることが認識され、当時の自然保護活動の象徴として、保全に向けた盛り上がりが見られた。指摘の正当性が関係者間で納得され、九〇年になって、青秋林道計画は取り下げられた。

この経緯を踏まえて、財団法人日本自然保護協会（当時）などが世界遺産条約批准に向けた活動を活発化させたことが、自然遺産についてのＮＧＯ側からの推進力となった。だから、条約に批准し、登録を推進するに際しては、他を省みるまでもなく、この案件が候補となり、実際に登録に結びついた。この資産を世界遺産に登録するための批准推進の運動が、世界遺産白神山地の実現につながったとも見えたものである。

世界遺産に登録されてからの白神山地では、核心地域への厳格な入山規制について議論がもち上がった。核心地域の厳密な保全が期待され、歩道などが整備されていなかった核心地域へは原則立ち入り禁止が求められたのである。日本では、指定されるまでは規則で縛れないからと放置されながら、いったん規制すると決めたら厳密な対策が施行されるという極端な傾向がしばしば現出する。白神山地でも、登山道がよく整備されていないという背景もあったが、世界遺産に登録されて注目を浴びながら、登山は禁制とされた。そこで、逆に、マタギの人たちの活動ができなくなるとか、地域の住人の日常生活のための利用が制限されるとか、入山規制に疑問が呈されることになった。人と自然の共生を生きてきた日本に、自然を征服して生きてきた西欧風の保全の方式をそのまま適用しようとしても軋轢が生じるのは自然の成りゆきである。

白神山地は評価基準（ⅳ）の生態的価値で評価され登録に至った。規模の大きなブナ林であることが認識されたのである。だから、登録に応じて、ブナ林の完全な保全が期待された。そのために、一切の人為を排除しようとしたのである。しかし、自然環境を保全するとはどういうことだろう。優れて美しい自然は、その美観が愛でられるだけではなく、そこで生活する人を支え、そこを訪れる人を感動させることでその意義を発揮する。自然と人が共生することによって存在の意味が生かされるのであり、大切なのは、その自然を生かしながらどのように人と共生するかの道を見出すことである。

白神山地は自然遺産に登録されてすでに三〇年近くになる。日本で最初の自然遺産のひとつとして、保全と活用についてのさまざまな模索が積み重ねてこられた。科学委員会が作られたのは登録から時を経た二〇一〇年になってからではあるが、その少し前から始まったモニタリングは、ボランタリーに協力する人たちの貢献や、民間財団の助成なども受け、徐々に有用な情報を構築している。ただ、対策については、青森県と秋田県の間の見解に相違があるし、どこの遺産にも共通の問題ではあるが、気候変動の影響など、この地域だけで解決できない問題も山積する。また、日本の五自然遺産のうち、白神山地だけは国立公園でないことも、この資産の特性を象徴している。

屋久島

屋久島の自然の素晴らしさは早くから識者の注目を浴びていた。すでに中世に屋久杉が都で重用されていた記録があり、江戸時代には材が年貢として幕府に献上された。屋久島のスギ原始林は

白神山地のブナ林に向かうハイカー

屋久島の標高500mを超える山地に自生する屋久杉

一九二四年には天然記念物（一九五四年には特別天然記念物）に指定されている。固有種や南限、北限種を含め、多様な植物が生育することも植物学的に注目されており、私も大学院へ進学した一九五七年の夏、単独で約一か月間滞在し、全島を巡って植物の詳細な観察と資料の収集を行った。貴重な学習の経験となった場であり、後に学位論文につながる資料なども収集できた。

島の自然は、その複雑な構成にもかかわらず、科学的な基礎調査が比較的進んでおり、その概観が明らかにされていた。一方、屋久杉は早くから建築工芸材として珍重され、高価で取引されたために、江戸時代にはすでに過剰な伐採を制御する動きも見られた。明治以後、過剰な伐採への批判に応じ、国立公園（一九六四）、原生自然環境保全地域（一九七五）などの保護対策が講じられるようになったほか、一九八一年にはユネスコの生物圏保存地域（エコパーク）にも登録された（ついでながら、二〇〇四年には、屋久島永田浜がラムサール条約に登録され、二〇一六年には、生物圏保全地域の範囲が、口永良部島（くちのえらぶじま）も含め、大幅に拡張されている）。

そのような背景もあって、自然遺産登録につながる活動が、白神山地とは独立に進められた。屋久島の自然と文化を対象に、一九九一年には屋久島環境文化懇談会がつくられ、著名な文化人を軸として検討するなど、積極的な取り組みが始められた。環境庁から出向していた鹿児島県の小野寺浩課長（当時）がこの企画に関わり、日本の世界遺産条約批准推進につながる活動となった。

自然遺産の候補地としては、屋久島は条件に恵まれていたから、一九九三年に、白神山地とともにユネスコのリストに搭載されることになった。（同時に登録された文化遺産の姫路城と法隆寺も、誰が見ても日本を代表する文化遺産といえる資産である）。しかし、当時は日本の社会全体も、自然遺産の事務局を担当する環境庁、林野庁でも、自然遺産を上手に活用することができる状態にはなかった。世界遺産は登録すればいいというものではない。登録することによって発生する責任が、遺産を保全し、活用することに通じるべきものである。しかし、当時は、屋久島が自然遺産に登録されても、それに対する具体的な管理計画をすぐに整えるほどの条件はまだ整っていなかった。そのための長い努力が、関係する人たちによって始まった。

世界遺産は観光資源として利用される。世界遺産への登録がメディアで報じられるので、それまであまり関心をもっていなかった人も、訪ねてみようという興味をもつことがある。これまでの経験では、自然遺産の場合、登録後二、三年は観光客の急増が見られるが、やがて落ち着いてくるのが例のようである。ただ、屋久島の場合はちょっと様子が違っていた。折からの自然志向の高まりと、屋久島の桁外れた知名度に背を押され、また航空路の確保などもあって、観光客の数は激増した。一時は来島者が年に四〇万人に達したこともあったほどである。当然、縄文杉のような著名観光地を訪れる人も増える。一日に千人もの人が狭い歩道を踏んで登山することもあったらしい。人の行為は自然に反するものと理解される。当然、類い稀な自然には人為の影響が刻み込まれることになる。訪ねる個々の人は気づかなくても、人の営為が総体として自然に働きかける。伐採による影響とは全く異質な人の営為である。

自然遺産の活用とは何か、観光客、登山客に、類い稀な自然美を味わってもらうことも活用法のひとつではあるが、それはその自然の保全との共存を保証する状態で実施されるべきことである。また、自然遺産と認識することは、当然優れた自然環境で生活する人との関わりも問われるし、その自然を知るための研究も推進されることになる。屋久島の場合、自然のうちの自然というような受け取り方をされるが故に一層に、そこで展開している文化との関わりを含めて、人を取り巻く自然環境が究められ、愛でられるのが望まれる。

屋久島は自然遺産登録後二〇年で、島内の総生産が五割向上したといわれる。日本国内では目立った数値である。これには、屋久島の知名度が、それまで以上に格段に向上したことが背景となっている。ただし、屋久島で育った文化に向けられる目が、類い稀な自然美とどのように関わっているのか、まだ認識が浅いと危惧される課題も少なくはない。もっと多くの人々の目が注がれるよう期待される。

自然遺産候補地検討会と選ばれた一九候補

世界遺産条約を日本が批准してから一〇年を経て、日本でも世界遺産についての理解が深まってき、そうなると、この課題に取り組む動きも活性化されてきた。二〇〇三年に、自然遺産を所管する環境省、林野庁が、「世界自然遺産候補地に関する検討会」をつくり、日本から新規に登録すべき自然遺産の候補を検討する作業が進められた。この検討会は、自然遺産候補を、学術的な視点から検討することを目的に、関連分野の研究者七人で構成され、私が座長に選ばれた。環境省の自然環境担当審議官は、屋久島の世界遺産登録を通じて、自然遺産の側から世界遺産の批准に貢献した小野寺さんだったし、資料の準備の中心になった奥田直久課長補佐（当時）らの超人的な活躍が、短期間での検討会の活動を支える力となっていた。

検討会はこの年の前半三か月の間に四回開かれ、短期集中的な検討によって、日本から登録すべき候補として一九の地域を挙げ、そのうちから、知床半島、小笠原諸島、南西諸島を、当面五年くらいの間に推薦すべき候補と結論づけた。二〇年前の検討会の詳細な発言の記録は今も環境省のホームページに残されており、私も本稿の執筆に備えて、久しぶりに読み直した。検討会での話し合いは、基本的に学術的な側面から進められたが、当然委員の頭の中では、登録のための戦略も、候補の絞り込みに際してはある程度影響していた。私自身、それまで特に世界遺産に深く関わることはなかったし、登録についての情報に特に詳しいということもなかった。ただ、その当時、ユネスコ国内委員の一人で、人間と生物圏計画（ＭＡＢ）対応の主査を務めており、生物圏保存地域（現在、国内ではユネスコエコパークと呼ばれている）を主宰するＭＡＢの国際調整委員会（ＩＣＣ）の役員でもあったので、ユネスコの活動における世界遺産の意味を知らないわけではなかった。

選ばれた一九の候補資産を挙げると、利尻・礼文・サロベツ原野、知床半島、大雪山、阿寒・屈斜路・摩周湖、日高山脈、早池峰山、飯豊・朝日連峰、奥利根・奥只見・奥日光、北アルプス、富士山、南アルプス、祖母山・傾山・大崩山・九州中央山地と周辺山地、阿蘇山、霧島山、伊豆七島、小笠原諸島、南西諸島、三陸海岸、山陰海岸である。実際に自然遺産候補として申請する場合の具体的な戦略まで検討するだけの時間的な余裕はなかったので、いずれの候補地についても地域の名称を確定し、予想される登録の範囲を正確に示すには至っていない。

検討の時間は限られていたが、結論として直近に推薦すべき候補を三〜五件程度選ぶように諮問されていた。今になって記録を読み直してみると、後で議論しようといいながら、とうとう最後まで言及できなかった宿題がいくつもあるなど、反省すべき点も少なくない。それでも、この時に絞られた三件が、五年程度という見通しが二〇年かかることにはなったものの、すべて世界自然遺産に登録されることになったのは、その後の事務局や関係者の努力によるところではあるが、検討会も成果につながる議論を行ったといわせていただこう。議論の過程では、学術面からの歯に衣着せぬ発言が少なくなかったが、問題点の多くが、その後の自然遺産登録への過程、登録されてからの管理、維持の活動を通じて改善されたり、改善のための努力が重ねられたりしているのも、関係している人たちの真摯な対応と評価したい。

この検討会では、学術的な側面からの自由な討議が求められていた。座長にも、事務局側からあらかじめ結論に至る道筋が求められるようなことはなかった。もちろん、事務局から提示される資料のうちには、事務局側の希望の方向に沿うものがあり、知らず知らずのうちにそれに引きずられていたということがないと断言することはできない。ただ、参加した委員はいずれも率直な発言をし、座長がまとめの方向にもっていくのに苦慮したところも少なくはない。そして、結論を出してからの雑談の中で、事務局はその結論に似た議論の整理を密かに期待していたと聞いた時には、入手可能な資料を駆使すれば学術的な議論と並行した思考ができるのだと感じたものだった。

なお、この検討会から八年後の二〇一二年度に招集された、「新たな世界自然遺産候補地の考え方に係る懇談会」が、最終的には八人の研究者によって構成され、この時も私が座長をさせていただいた。前回の検討会で推薦された知床半島と小笠原諸島はすでに世界遺産に登録されていた。五回にわたって突っ込んだ議論が交わされたが、この懇談会では、既存の四つの日本の自然遺産の管理状況などは詳細に検討されたものの、検討会の推薦が持ち越されて、当時も登録のための作業中だった南西諸島の後の候補地を推薦することはなかった。

〇三年の検討会で、直近五年くらいのうちで登録を実現できたらいいと推薦した三件を選出した際、それに準じる候補地として議論の最後まで残ったのが大雪山、日高山脈、飯豊・朝日連峰、それに九州の中央山地（綾の照葉樹林など）であることを記録に残すといっていたものの、一二年度の懇談会でそれらの地域に集中した議論をすることはなかった。これには、検討会の議論の中でも、すでに登録されていた白神山地、屋久島との比較、また、シベリアのシホテ-アリンとの対比などもあって、完全性を満たすには問題があると認識したことが、懇談会の時まで後をひいていたかもしれない。

検討会で挙げられた候補地のうち、三候補については登録ができているか、作業が進行中ということで、これらの資産の登録によって、ＩＵＣＮの評価の対象となる植生域については日本の代表は揃うという判断があったためか、委員の間からも、引き続いて登録すべき候補地について、具体的な名前を挙げて推薦する動きはなかった。また、検討会の一九の候補地に追加すべき候補地を挙げる委員もなかった。私自身は、植生帯を代表する候補だけでなく、現象として目覚しい候補、一点豪華主義とでもいおうか、熱心に推薦の準備を進めておられる阿寒湖のマリモとか鳴門の渦潮の活動を聞いていたので、これらを取り上げて議論すべきかとも考えたが、もし取り上げるなら、ＩＵＣＮの評価の方法に修正を求める必要が生じることも勘案して、この時に特に懇談会に問題提起をすることはしなかった。また、知床や小笠原の登録に続き、資産の範囲を海洋にも広げる議論を提起すべきだったのだが、この懇談会ではそこまで議論を広げることはなかった。検討会の最後の段階で加えた三陸海岸、山陰海岸についても突っ込んだ議論はできなかった。検討会以来の宿題だった地学を重視した候補の検討も行わなかった。議論を主導すべき座長の責任でもあったが、懇談会自体が、現に進行している自然遺産の管理の状況などに議論が傾き、本来の課題だった新たな自然遺産についての考え方を十分議論できなかったことを反省もしている。

追加された三つの自然遺産

〇三年の検討会で提案された三つの候補地については、早速に、登録に向けての準備が始められた。知床半島は二〇〇五年に、小笠原諸島は二〇一一年に、そして、南西諸島は難産の末に、二〇二一年になってやっと登録に漕ぎつけることができた。

知床半島

知床半島については、地元からの適切な対応や協力にも支えられて、二〇〇四年一月にはユネスコへの推薦書が提出され、翌〇五年七月の世界遺産委員会で遺産一覧表への記載が決定された。登録後の管理の状況、定期的な世界遺産委員会での保全状況の評価などについては、詳細が環境省のホームページなどで紹介されている。

知床半島では、検討会でも注文のついた、サケの遡上の妨げになっているダムが改良されるなど、さまざまな手入れも行われたが、久しぶりに登録された日本の自然遺産であることがメディアで取り上げられたこともあり、登録後の観光客の増加も顕著だった。検討会での議論に加わり、ＩＵＣＮの評価への対応にも少しだけお手伝いもしていたので、登録後の状況が多少気がかりでもあり、二〇〇七年の夏休みの終わり頃、関係者にも告げずに、一般旅行者として現地を訪れた。十余年ぶりに登録された自然遺産ということもあって、直後に観光の盛り上がりがあったが、三年目ともなると、観光客の数も少し落ち着き始めていた。それでも、ホテルもクルーズも、それなりに賑わっている中で、案内所をはじめ、ボランティアの観光案内の人との対話なども含めて、わずか二泊三日の旅ではあったが、自然遺産登録後の知床半島の様子を自分の目で確かめ、報道などで知る情報の検証を行った。登録までに、関係者の説明を伺いながら見るのとはちょっと違った景色である。その結果、報道されていたような小さな問題点は散見されたものの、総体としては検討会の議論でも出ていた点も含め、大きな変更を期待するほどの心配はないと、私なりに見せてもらった。公式の評価と違って、一観光客としての視点からの見方は、表面に現れた現象だけからの評価にとどまる心配はあるものの、当事者の説明に覆われてしまって見えなくなるものはなく、素直な感想だったように思っている。

さらに、知床半島については、個人的には、別の関わりからの関心も無視できなかった。ユネスコ国内委員会でMAB対応の主査を引き受けてからすぐに、いわゆる北方四島について、国境を超えた生物圏保存地域の登録ができないか、可能性を探る議論に関与した。東京で開催されたフォーラムは、この地域の自然の研究に関心をもっておられた岡本寛志さんの資金的援助を受け、前任者の有賀祐勝さんらがロシアの研究者らと共同で開催を検討されていた企画を引き継いだ事業である。岡本さんは、後に、日本自然保護協会に寄付されてプロ・ナトゥーラ・ファンドの基盤をつくられたし、東京大学植物園の事業にも高額の寄付をいただいている篤志家である。

フォーラムは開催されたものの、国の方針で「北方四島」という表現は使えなかったし、ロシアからはMABの国際委員会でも活躍していた研究者も参加したが、日本側は日本の北方四島という意識だし、ロシア側はロシアの領地という考えで参加しているのだから、その頃MABの委員会で、国境を超えた(transboundary)生物圏保存地域が話題になっていたところではあるが、その範疇で話が進むはずがない。まだ基礎的研究が十分でないこともあって、この地域を生物圏保存地域として登録する案は、両国が共同して提案する形にまとまるはずがなく、結局フォーラムはそのことを確認する会合で終わってしまった。私としては、この地域の生物についての理解を深めることの意義を確認する機会でもあり、知床を世界遺産に登録する案については、このあたりの広域の生物についての知見の解明のためにも大切なことであると理解した。

知床半島の世界遺産域には、海域が大きく取り入れられており、水陸の相関関係もその特性とされている。そのためのモニタリングの難しさや保全対応の問題の解決にはさらなる努力が求められてもいる。ヒグマやエゾシカなど、自生動物の個体数の増加が生態系に与える圧迫についても、科学的な評価を確実にする必要がある。

小笠原諸島

小笠原諸島については、私も東京大学植物園で勤務するようになった一九八一年以来、すでに小笠原の絶滅危惧種の施設内保全と植え戻しに取り組んでいた下園文雄さんの試みを植物園の事業とすることで、関与するようになっていた。一九八九年には、『滅びゆく植物を救う科学』（下園さんと共著）を刊行し、小笠原諸島の植物相についての関心を喚起している。生物学の常識としてのこの地域の特性だけでなく、当時の状況を把握する立場にあったのである。さらに、東京都による空港開設のためのアセスの会議にも参加し、その機会に、いろんな生物群の研究者から、それぞれの群におけるこの地域の生物相の特性と現状などを学んだ。人が定住するようになってからの人為影響が島の生物相に与えている影響など、直面している問題には顕著なものもある。

小笠原諸島は世界遺産登録のための評価（viii）（ix）（x）の三項に相当すると考えられ、推薦されたが、世界遺産委員会では、（viii）（x）には相当しないと判断され、（ix）の一項だけで登録に至った。登録されたからいいではないか、と考える向きもあるようだが、科学的な評価のあり方はその後の対応にも影響する。申請や評価の過程の詳細に関与していないので不明な点もあるが、（viii）（x）項についてはその後の管理計画などでも対応されているし、この地域の自然遺産の保全、維持に関しては、これらの項に相当する活動も強化することが望まれる。実際、科学委員会では、（ix）関連の課題の検討に限らず、広く科学的な調査、評価に基づいた検討が加えられている。

小笠原諸島には固有種が多く、レッドデータブックに記載される絶滅危惧種も少なくない。人が定住するようになってからのごく短い歴史のうちで、天然資源に依存する入植者の生活のために生存を圧迫された野生種の生活は酷しかった。リュウキュウマツ、モクマオウ、ギンネム、アカギなどが持ち込まれて自然の植生は大きく変貌したし、野生化したネコやヤギの害は顕著であるが、他にもグリーンアノールをはじめ人が持ち込んだ外来種によって在来種の生存が脅かされている。象徴的な数字としては、鳥類だけで四種の絶滅が報じられているほどである。

自然遺産登録に向けて申請が始まる以前から、小笠原諸島の外来種対策は国でも都でも積極的に取り組まれている課題である。しかし、固有種が多く、野生種の生存基盤が脆弱である海洋島では、天敵のいない外来種の活動に対して、自生種は影響を受けやすい。日本列島の他の地域よりも深刻な外来種問題に対しては、一層の注意が払われる必要がある。

検討会が開かれた頃には、小笠原諸島にはレンジャーが常駐していなかったが、その後、国立公園としての小笠原諸島の管理にはより大きい注意が払われているし、研究者の活動も活発になって

夏の知床五湖。蓮の葉に似たネムロコウホネが黄色い花を咲かす

小笠原諸島近海によく見られるザトウクジラ

奄美市住用町のマングローブ原生林

いる。空港の開設が難しく、週に一度の航路だけが頼りで、自然に観光客の数が制限されている状況が小笠原諸島の自然の保全には有利に働いているが、そういう好条件が損なわれることになっても、優れた自然が維持されるように、基盤研究でも、それを応用した保全活動ででも、一層の成果を期待したい。

奄美大島・徳之島、沖縄島北部および西表島

南西諸島を自然遺産の候補とすることに異論はなかったが、〇三年の検討会では南西諸島と仮称して、その範囲を明確にしてはいなかった。屋久島がすでに自然遺産に登録されていたことから、地域をどのように区切り、何と名付けるかはむずかしい課題である。南西諸島といっても、琉球列島と呼んでも、屋久島を除外し、すでに世界遺産に登録されている屋久島と内容が重複しないように（＝二つの自然遺産がともに完全性を維持できるように）、正確に対象地域を設定し、その呼び名を決めなければならない。資産として、どれだけを限って指定するかも一筋縄ではいかない問題だった。

難しい問題は、傑出した自然の評価だけでなく、それ以外の（雑音のような）問題も絡まってくる。尖閣列島をどう考えるかという問題がある。これを含む資産として申請すれば、自国の領土と主張する他国から異論が出ることは間違いない。北方四島の自然の意義を議論するのが難しいのと同列の問題である。また、沖縄県には、多くの米軍基地、自衛隊基地などがあり、自然遺産として貴重な地域を設定しようとすれば、軍用施設との関連も絡まってくる。学術的に重要な地域で、人為の影響が少なく、現に保全が全うされている場所を、それだけの意味を強調して、素直に候補の資産に設定することができる状況にはない。ユネスコは、政治、経済で実現できない平和を、科学、

文化の面から追求する機関だと、憲章前文を盾にした議論をしようとしても、現実にはそのような意見が素直に受け入れられる状況はない。

また、すでに「琉球王国のグスク及び関連遺産群」が文化遺産として登録されている沖縄県ではあるが、もともと経済的には恵まれていない地域に、広域にわたって基地が設置されており、そのような現状のもとで、経済振興の資としての自然遺産の登録が期待されているものの、登録は保全に向かうよりも逆に開発の誘発を結果するのではないかと危惧する見方もある。貴重な自然環境の保全を重視する人たちからは、自然遺産の登録に消極的な見解も述べられた。

登録に至るまでに戦略的な困難さがあったにしても、南西諸島の自然が世界遺産に登録するだけの高い価値をもつものであることは多くの人に理解される。大陸から分離され、島嶼として独立の生態系を維持しながら、そこに適応した進化の歴史を刻んでき、多様で独特な生物相を育ててきた島々である。高まりつつある悪しき人為を排除し、貴重な自然を将来の世代に向けて保全することが求められる。

二〇二一年七月に登録が確定した時、東京オリンピックで盛り上がっていたメディアの取り上げ方は冷めたものだった。その陰で、深刻なコロナ禍に災いされながらも、観光に関わる情報の流通が早かったことを経験し、その部分の突出ぶりも見せられた。世界遺産の活用面については、地道に自然との共生を図ることが必要である。利用はあくまで賢明な利用でなければならないし、持続性を維持することが、自然遺産として登録する者の最低限の義務である。そのための地元の人たちの堅実な活動が展開していると伝聞し、期待しているところである。

この自然遺産の名称は、自然遺産としての区域を設定できる対象を選ぶ過程で、三つの島と最大の島の北部を資産とすることにし、名称もそれらを並記することに落ち着いた。設定された資産は南北に八〇〇キロも離れた四つの島を対象とする。ただ、その区域に含まれなくなったところはどうなるだろう。資産に含まれなかった久米島や宮古島などにも傑出した自然の要素は数多く認められており、自然遺産に相当しない場所と認定されたわけではない。（個人的な関心でいえば、私の最狭義の研究対象だったコケシノブ科の一種マルバコケシダは、日本では魚釣島だけに記録される。今どういう状態にあるかはわからない）。優れた自然の要素が現存していても、自然遺産の登録のための線引きなど、さまざまな条件のために、今回の登録申請の対象地域には含まれなかっただけである。四島以外の島々もあってはじめて南西諸島の自然である。資産から外れた地域で、無謀な開発が推進されたり、自然物の採取や持ち出しが黙認されるような事態が生じれば、南西諸島全域の類い稀な自然には人為の影響が災いをもたらすことになり、大変遺憾なことである。登録された資産を模範に、南西諸島全域の貴重な自然をどのように賢く利用し、その自然をどのように維持していくか、正しい情報の交流と共生への参画が期待される。

私自身の個人的な経験でも、一九五八、九の両年には、それぞれ夏の約一か月を奄美の植物と親しんだし、一九六三年には、まだ合衆国の施政権下にあった西表島などの調査のために、パスポート相当の身分証明書を提げて訪れたりもした。日本で熱帯の植物の研究に関わろうとすれば、当時体験できる唯一のフィールドだった。私が実際に熱帯の国へ調査に出かけたのは一九六五年になってからだった。

この地域の自然遺産への登録申請は一度取り下げられ、再提出によって登録が認められた。ここで、この間の経緯についての詳細を整理する紙幅の余裕はない。しかし、再提出の後にも、返還された基地跡の利用法などについて、厳しい批判が向けられることもあった。全ての人が納得する解決法などないとしても、歴史を経てもなお評価される管理、維持が行われることが、世界が注目する遺産との付き合い方であることを確認しておきたい。そのためにも、かねてから沖縄県に創設が期待されている国立自然史博物館構想が世界遺産登録を機に実現し、基盤研究や環境学習の健全な進展が図られることも期待したい。

日本から追加登録を期待される自然遺産

日本から提案される自然遺産は、二〇二一年に「奄美大島、徳之島、沖縄本島北部および西表島」が登録されたことで、具体的に準備されていた候補の登録は一段落した。そこで、引き続き日本から提案すべき自然遺産を考えるべきかどうかが次の課題といえよう。二〇一二年の懇談会では、新たに推薦すべき候補として具体的な候補は挙げなかった。ただし、〇三年の検討会で挙げられたが登録に至っていない一六の資産を候補から削除することもなかった。

これまでに登録された五つの自然遺産を概観すると、日本の植生帯を代表するように資産が分布している。ＩＵＣＮの評価では、ウドヴァルディ（一九七五）の植生帯の定義に合わせて代表的な自然が選ばれることになっている。すでに、日本に見られる植生帯を代表する自然を示す遺産は登録されているのだから、（世界で唯一とされる資産を世界遺産と認識するなら）これ以上の自然遺産の登録は必要ない、という考えもある。自然遺産の数はある程度で抑える方が良いと考え、数を増やすことで類い稀な資産といいながら、どこにでも見られるような資産まで自然遺産に登録されることになると心配する向きもあるらしい。新規の登録に力を入れるよりも、限られた資源を活用して、すでに登録された代表的な地域の持続的な保全に全力を尽くすべきだとする考えもひとつの正論である。現に、世界遺産委員会が使える費用の多くが申請の評価に費やされ、具体的な保全に用いられる資源が限られている。

また、最近の自然遺産の推薦は、評価の（ⅷ）（ｘ）に基づく場合が多く、日本でも、植生帯を代表する資産は登録されたので、これ以上の候補を考えても、すでに登録された資産と優れた特性が重複することになり、それよりも既存の五遺産の保全、管理に集中する方が望ましいとする考えもある。このような考えの人からは、他で検討されている候補のうちには、自然遺産に登録しなくても、ユネスコエコパークだとか、ジオパークなどに登録し、その制度のもとで持続的な利用を検討する方が良い、という意見も聞こえてくる。

以上の議論を踏まえた上で、日本に新規に自然遺産を登録するとすれば、候補になりうるのはどこか、可能性のある実例をいくつか挙げてみたい。

ひとつは、〇三年の検討会で、すぐに提案すべき三件からは漏れたけれども、有力な候補となるとまとめられた資産で、大雪山、日高山脈、飯豊・朝日連峰、それに九州の中央山地（綾の照葉樹林など）を挙げている。北海道の二件は、シベリア東部のシホテ‐アリン自然遺産との対比で、世界で唯一の、という説明が難しいという難点が挙げられた。飯豊・朝日連峰は優れたブナ林が特徴とされるが、ブナ林を売りにした白神山地が登録されていることが推進の妨げとなった。九州の中央山地は美しい照葉樹林が特徴となるが、これも屋久島の照葉樹林と対比され、見送られた。（綾の照葉樹林は二〇一二年にユネスコエコパークに登録された）。いずれも、一番注目される特性が、世界で唯一の、と主張できないと判断されたが、資産の特性は他にもいろいろあるのだから、自然遺産としての登録の可能性について、さらに追求されるとよい。

評価基準（ⅷ）に基づいて日本から登録された自然遺産はない。地質過程といえば、世界ジオパークに登録されている資産が日本列島に九か所あるが、そのうちには、〇三年の検討会で候補に選んだ一九資産のうちの阿蘇山と山陰海岸が含まれる。基準（ⅶ）については、後述の富士山のところでも触れる。

検討の範囲をさらに広げるためには、他に比して傑出した価値をもつ自然とは何かについて広く議論を積み重ねるとよい。この場合、二〇〇三年の検討会で候補地とされた資産だけでなく、他にすでに具体的に登録に向けた準備が進められている阿寒湖のマリモとか鳴門海峡の渦潮などの顕著な自然現象などの登録の可能性も検討の課題となるだろう。これらは、単独で独立の自然遺産に登録する規模かどうかは問題とされるかもしれない（自然遺産は、島嶼などの例を除き、一定の面積を占める地域が指定されることになっている。それを前提に、〇三年の検討会でも、陸域では原則として五〇平方キロ以上の地域を考えた）が、世界を見渡せば、同じような現象が観察される場所があり、具体的に例示した二資産についても、それぞれに海外の資産と共同での登録、すなわちシリアル・ノミネーション*も検討されており（南西諸島も八〇〇キロも離れた地域を対象にしており、一種のシリアル・ノミネーションといえる）、それらを含めての可能性が模索されることを期待したいものである。どちらも観光資源としてはすでに十分に活用されているが、自然遺産に登録されれば、その優れた自然現象が、人々の自然に対する畏敬の念を深める基となり、自然学習への好奇心を唆るものであると考える。

阿寒湖のマリモは国の特別天然記念物に指定されており、広く知られている特殊な生き物である。釧路市では、国際ウェットランドセンター内にマリモ研究室を設け、長年にわたってマリモの生活、動態が研究されている。阿寒カルデラと、それにともなってつくられた湖沼群の地質過程についても追求され、阿寒湖に生育するマリモの地史的な背景も詰められている。さらに、阿寒湖以外ではアイスランドのミーヴァトン湖にもマリモが生育していたが、このマリモの研究グループとも情報交換し、シリアル・ノミネーションによる自然遺産の申請の可能性も模索されていると聞いている。

もうひとつは鳴門の渦潮である。こちらも著名な観光資源であるが、兵庫県側からは自然の側面から、徳島県側からは文化の側面から、世界遺産の候補としての可能性を模索し、推進のための組織もつくられている。こちらも単体での登録の可能性が追求される他、世界三大渦潮と呼ばれる仲間のイタリアのメッシーナ海峡、カナダのセイモア海峡とのシリアル・ノミネーションの可能性も検討し、それぞれの資産の関係者との連携も模索されているという。

ただ、世界遺産条約第二条で定義されている自然遺産は、優れた自然の見られる「地域」とされている。マリモの場合はマリモの生育する阿寒湖、渦潮の場合は鳴門海峡がそれぞれの生き物や現象が見られる地域であり、候補となる資産はマリモや渦潮そのものではなく、阿寒湖、鳴門海峡などの地域ということになる。

一方、傑出した自然について、世界に周知し、またその保全に努めるのは地域や国の責任であり、その意味からさらなる自然遺産の登録を目指すべきであるという意見もある。二〇〇三年の検討会で候補地とされたところのうち、奥只見、南アルプス、九州中央山地（綾）などは、検討会と同じ区域ではないにしても、生物圏保存地域（ユネスコエコパーク）に登録されて保全、利用の活動が展開されているし、伊豆半島、阿蘇山、山陰海岸はユネスコ世界ジオパークに登録してそれに応じた活動が行われている。それらの活動を踏まえて、自然遺産への登録の可能性を模索することも無意味なこととは思われない。文化遺産に登録された富士山については、さらに自然遺産としても検討され、複合遺産としての登録の可能性も考えられるが、それについては別項で触れたい。

文化遺産の場合、発展の歴史に応じて、文化遺産とは何かについて、現実に即して議論が重ねられてきた。一方、自然遺産の評価は、自然をいかに保全するかという視点から、当初の方針から大きな変化はない。気候変動や生物多様性についての意識が大きく変動しても、変化した状況を既存の評価の方式にどう合わせるかと考えられてきた。自然遺産の多様性を広げるためには、すでに多くの自然遺産を登録してきた現状に基づいて、自然遺産とは何かについて考察を加えることも大切である。

二章　自然遺産の現状と課題

自然遺産に登録される資産

世界の自然遺産は二〇二一年に日本の一資産を含む六件が追加されて、合わせて二一八（他に複合遺産三九）となった。八九七件が登録されている文化遺産と比べれば小さい数字ともいえるが、この数字に満足する人ばかりではない。世界遺産に適当な数というものはないが、多すぎると、世界に冠たる、という意味がなくなってしまうと考える人もある。他方、残されている自然はできるだけ自然の姿で保全できるように、それらしい資産はできるだけ広く世界が注目するようにしたほうがいいとも考えられる。数で決まるものではなく、登録した資産を人類の至宝として、どのように維持し活用するか、である。

世界遺産は登録されてそれで終わりというものではなく、定期的なモニタリングが施される。モニタリングでは、登録時に勧告された事項への対応の状況や、資産の管理、維持の状態の世界遺産委員会への報告が期待され、イコモスとＩＵＣＮの現地調査も実施され、評価される。遺産委員会での公式のモニタリングだけでなく、それぞれの世界遺産の管理者には、それぞれの責任において、世界遺産の評価基準に応じた自己評価が求められていることはいうまでもない。

危機遺産と遺産リストからの削除

世界遺産に登録はされたものの、その後登録時の保全状態に瑕疵が生じ、危機遺産に指定されているものや、登録を取り消されたものもある。二〇二一年現在で、危機遺産リストには五一の資産が挙げられている。危機遺産のうち、シリア内戦による危機がシリアで登録されている全六件、リビアの政情不安による危機がリビアで登録されている全五件、それぞれまとめて挙げられているのが目立っている。紛争は地球と人類の貴重な資産にとってはもっとも酷しい脅威となるものであり、望ましくない人為的過程である。

危機遺産からさらに進んで、登録されている世界遺産リストから取り消される手続きは、削除された、とか、抹消された、といっている。これまでに自然遺産のリストから抹消された例としてオマーンの「アラビアオリックスの保護区」があり、文化遺産では、架橋によって景観が損なわれたと判断された「ドレスデン・エルベ渓谷」と、港湾の再開発が進んで二〇二一年に抹消された「海商都市リバプール」の二資産がある。

アラビアオリックスは中東のシリアからシナイ半島にかけて分布するウシ科の草食獣で、生育環境が劣化して個体数の減少が危惧されているのに加えて、食用、薬用にされる他、特徴的な角や毛皮を得るための狩猟により、再導入されたものまで含めて、生息数が激減しており、ワシントン条約でも付属書Ⅰに掲載されている。オマーンの保護区は一九九四年に自然遺産に登録されたが、その後、密漁の取り締まりが十分でなかった上、オマーン政府が保護区の面積の九〇パーセントもの部分を保護区から外すなどした結果、自然遺産指定区域内でも生息数が激減し、世界遺産委員会からの警告も無視されたので、二〇〇七年に最初の登録抹消の例となった。

世界遺産の候補を考え、登録に向けて特徴を記載する際に、普遍性、完全性を検証するために、すでに登録されている資産と比較し、それと対比してどのように優れているか、いかに個性的であるかを強調することがある。しかし、現在人の評価で優れている自然とはどういうことか。自然遺産の場合、価値基準が設けられ、それに従って評価され、登録の可否が認定されているが、現状を見ながら、自然遺産が望ましいかたちで維持、運用されているか、世界遺産に関心をもつすべての人が常に注目すべきことである。現状、世界遺産はユネスコが登録するもの、登録されたら当該地域の人たちはその世界遺産から便益を受ける、という姿勢で臨むことが多いのは感心したことではないと見せてもらっている。

自然遺産の利用――観光、自然資源、環境学習

自然遺産の利用といえば、自然保護に反する資源の簒奪と非難されることも多いようである。しかし、地球上にある類い稀な自然であれば、それを活用しないのは人智に背くことでもあるだろう。自然の利用といえば、重機を用いて開発し、自然の状態を変貌させる利用だけを念頭に置くようになっている一部の人々の意識は短絡的であり、傑出した自然と共生しながら、優れた資産のもたらすものを最大限に活用することこそ今の人の叡智に期待されるものだろう。

観光資源としては、文化遺産と同じように、自然遺産も大きな可能性を秘めている。ただ、過剰な数の人が訪れると、自然は人為によって損なわれる。人が訪ねること自体、自然の状態を維持することの妨げとなる。人為が自然の反対語となった頃から、人の存在は自然にとって大きな脅威となっている。手付かずの自然にとっては、多数の人が歩道を歩くだけでも、原生の自然が損なわれるという実態を知りたい。いわんや、自然の実態を弁えず、そこで文明に汚された行為を働くとしたら。だから、観光資源としての自然遺産には、適正な数の観光客を設定し、さらに訪ねてくる観

光客には、その自然に相応しい行動を期待する。

自然資源の活用についても、科学的な現状調査、変動予測に基づいた利用計画を立て、それに従った利用の徹底が求められる。自然界に生きるすべての生物種の動態を正確に把握することは、科学の現状では、大変難しいことではあるが、類い稀な自然を将来に向けて持続させながら利用するためには、その難しい問題を克服することこそが科学に期待されるところである。自信をもって科学的な利用計画が立てられないのなら、保全に徹する方策を選ぶのが当面取るべきみちである。そして、傑出した自然の恩恵を受けるために、それができるだけの利用計画の基本となる基礎情報の構築のための調査研究に精を出すことだろう。

自然について、私たちはまだ知ることが限られている。最先端の科学にしても、自然についてはごく一端を理解しているだけである。限られた知見を振り回して、今の利益だけを求めて貴重な自然の価値を簒奪している現在人としては、まずは自然の実態を知ることが急務である。そのために、優れた自然に触れることは、何よりも自然に対する畏敬の念を育てる基本である。

自然環境について、今私たちが知ることは限られている。だからこそ、環境学習の必要性が訴えられる。しかし、普通に使われる環境教育という言葉で象徴されているように、自然に触れ合うことによって人にとって有用な価値を「教えこむ」ことが、言葉通りの教育であっては好ましい効果を得るとは期待できない。子供についていえば、自然のすがたと、そこに存在し、生きている自然物、生き物に触れることによって、大きな感動をうるのが正常である。そのような感動を与えるのが、類い稀な自然の力である。そして、無垢の子供たちが自然に触れ合う際に見せる感動の大きさは、博物館活動などを通じて経験することの多い私たちが常に深く魅せられる事実である。教育という語にこめられた大人の認識による知識の強制移入ではなくて、自然を楽しむ素朴な心から、やがて深く探索しようと求める学習への昇華を育てる環境学習の推進をこそ期待したい。

世界遺産の活用といえば、ふつうには観光振興が強く期待される。それはそれで、資産の害にならないように配慮した上で、活用されるべきだろう。しかし、自然はおもちゃではない、そこから人が何を学ぶかによって価値が定まるものである。文化遺産から学ぶものが諸々検討されているように、自然から学ぶことも、そこを訪ねる人の素養によって多寡があり、自然を知るための、人々の素養を高める環境学習の在り方を磨くのも、世界遺産を管理、運営するものの責務といえるだろう。人だけがもつ知ることへの前向きの好奇心を高める術の向上が期待される。日本の自然遺産についても、それぞれに科学委員会が設けられており、情報が構築され続けている。調査研究の成果はそのほとんどが公表されており、そこから学べるものは少なくない。まだまだ調査や研究の面では不十分ともいえるが、解明された事実に基づく保全活動が続けられる状況は、全ての人の関心を惹くものであってほしい。

世界遺産に登録されてから、資産についての調査研究が深められ、その価値が一般にも周知されるようになり、優れた資産が文化の展開にさらなる貢献をもたらす具体的な事例が増えている。さらに、新たに登録を期待する活動でも、資産についての知見を深める活動が進展しているし、地域の人たちの理解も深められる。登録され、世界の評価を得て安心するだけでなく、その資産を知り、有効に活かされることによってこそ、この事業が生かされるというものである。もちろん、世界に目を広げれば、登録を削除されるような不幸な資産もあれば、危機にあると訴えられるものも挙げられる。何がそういう事態を招くのか、世界遺産に対するさらなる注目が期待される。

三章　自然遺産と協働する事業

ユネスコの遺産に関わる制度としては、世界遺産の他に無形文化遺産や世界の記憶遺産があるが、世界遺産はこれらと違って有形の資産を対象とする。無形文化遺産や世界の記憶遺産は文化遺産と関わりが深いことがあるが、一般に自然遺産とは関係が薄い。

自然遺産はかけがえのない自然を人類の至宝として大切に保全していこうという考えに支えられた国際事業である。当然のことだが、持続的な利用という期待も大切な視点とされる。そのように自然と付き合おうという期待は、自然遺産以外の事業ででも試みられている。自然環境保全に関わる国際的な企画の代表的な例について、自然遺産との対比を試みてみよう。

ラムサール条約「特に水鳥の生息地として国際的に重要な湿地に関する条約」

一九七一年に採択され、一九七五年に発効した国際条約で、表題にあるように、第一義的には水鳥の保護を目的に、水鳥を食物連鎖の頂点とする生態系を保全するために湿地を安全に維持しようとする。正式名称は長いので、条約が締結されたイランの都市名に因んでラムサール条約と呼ばれる。二〇二二年時点で、一七一国の二四二二か所が登録されており、そのうちには日本の五二か所が含まれる。

条約の目的としては湿地の保全と再生、湿地の賢明な利用、湿地に関する交流と学習を目指している。「賢明な利用」（原文では「wise use」であり「上手な利用」とか、今風の「持続的な利用」といった方がふさわしい訳だろうか）は、活動の手法として、情報の構築と交流、能力涵養、学習、活動への参画、普及啓発を目指すとされるが、これらの手法はＣＥＰＡと呼ばれ、自然環境保全の基本的な行動とされる。（CEPAという概念整理は生物多様性条約などでも利用されている）。

日本は一九八〇年に条約を批准して条約締約国となった。同時に登録された釧路湿原は日本のラムサール条約登録地の嚆矢となっている。国内では唯一自然遺産の範囲に含まれる登録地の屋久島永田浜はアカウミガメの産卵地とされる島内最長の砂浜である。（砂浜はラムサール条約でいう湿地に含まれる）。

渡り鳥は国境を意識せずに定期的に移動する。人々に馴染み深い鳥が絶滅の危機に瀕すると知ると感覚的に保全への意欲が働く。しかし、個別の国の施策だけでは鳥類の生活を護り切ることはできない。水鳥の生息地である湿地の生態系保全についての国際的な協力への取り組みが、生態系の保全としては比較的早くまとめられたのはそういう背景もあってのことだった。そして、その初期から、活動の範囲を明確に捉えていた。

個人的な経験として、私自身、鳥類の研究者ではないものの、環境庁の自然環境保全審議会、環境省になってからは中央環境審議会で野生生物部会などの審議に関与しており、ラムサール条約登録のための提案の取りまとめやいくつもの地域の申請に関わったことを思い出す。

生物圏保存地域（ユネスコエコパーク）

ユネスコの組織のうち、自然科学領域では水、海洋と並んで「人と生物圏計画」（英名を略してＭＡＢ計画という）が恒常的な課題とされており、この計画の目的を遂行する手段のひとつとして一九七六年に始まった事業が生物圏保存地域の登録と管理、維持の活動である。ＭＡＢ計画は自然環境の持続的な利用に資する科学研究を推進する政府間共同事業で、一九七一年以来ユネスコの主要な活動の柱のひとつとされている。二〇二二年八月現在、生物圏保存地域として世界一三一か国七二七の保護区が登録されている。

生物圏保存地域は、豊かな自然が保全されている地域で、そこに存在する資源を有効に利用し、地域の経済活動を振興することによって、天然資源の持続的な利用を図ろうとする。そのための生物圏保存地域での活動として、自然から学び、学ぶための能力の向上に努め、活動に参画し、研究活動を展開し、情報の構築、交流、普及啓発を推進するなどの行動が期待される。

生物圏保存地域を設定する際には、自然生態系の保全の理想的なあり方として、真正の自然を保全すべき核心地域を設け、その地域を完全に取り巻く形で、人為的な活動と直接に触れることを防ぐための緩衝地帯を設定し、さらにその外に保存地域に含まれる移行地帯を定める、とされている。(この考え方は自然遺産の地域割りの設定の模範ともなっているが、自然遺産の場合、生物圏保存地域ほど厳密に三つの地域を区分した地域割りは求められていない)。このように、当時の生態学の知見を糾合して、保護地域の姿はいかにあるべきかが真剣に検討され、そのモデルが提起され、その後具体的に運用が続けられてきた。保全地域の設定をした上で、その保全を図りながら、研究、学習への活用のあり方が追求されてきた。

私がユネスコ国内委員会でMAB計画の主査を務めていた期間は、国内でのこの活動に成果を上げることができなかったが、引き継いでくださった横浜国立大学の人たちの努力もあって、最近ではこの領域の活動も活発に進展している。とりわけ、人口に膾炙しにくい生物圏保存地域(biosphere reservesの直訳である)という名称を、ユネスコエコパークという愛称で伝えるようになって、親しみが増した分もある。最近では、日本ユネスコエコパークネットワークとして、地域間の交流も進められ、活動の深化も図られている【註1】。

世界遺産条約の批准より前に、すでに一九八〇年に、屋久島は生物圏保存地域に登録されていた。

その時同時に志賀高原、白山、大台ヶ原・大峰山・大杉谷が登録されており、その後新規登録ができていなかったが、二〇一二年に宮崎県の綾町が登録され、その後の追加を含めて現在日本で一〇地域が登録されている。また、二〇一六年には屋久島は屋久島・口永良部島として大幅な面積の拡張が認められ、自然遺産と重複して、同じユネスコの登録地域として、さらなる保全と利用の振興が期待されている。

ジオパーク

ジオパークは、地球、大地を表す「ジオ」と公園の「パーク」を組み合わせた語で、地球科学的な価値をもつ遺産（大地の遺産、ジオヘリテイジ、geoheritage）の持続的な利用を図る企画である。対応する日本語は大地の公園とされるが、この語を聞く機会はあまりない。

二〇〇〇年に、地質に関心が深い有志の活動によって、ヨーロッパジオパークネットワークが設立された。ユネスコが、〇四年に、中国でも展開していたこの活動に注目し、これらを支援して世界ジオパークネットワーク（この時はフランスのＮＧＯ）が発足した。二〇一五年には、世界ジオパークがユネスコの国際地質科学ジオパーク計画ＩＧＧＰの正式事業と認定された。二〇二二年八月現在、世界四六か国に一七七のユネスコ世界ジオパークが認定されている。

二〇〇七年には任意団体の日本ジオパーク協議会が設立され、翌〇八年に産業技術総合研究所地質調査総合センター内に事務局を置いて、日本ジオパーク七地域による日本ジオパーク委員会が発足、洞爺湖・有珠山、糸魚川、島原半島の三地域を世界ジオパークネットワークに推薦した。〇九年に日本ジオパークネットワークが発足、上記三地域は正式に世界ジオパークに認定された。二〇二一年現在、日本ジオパークには四六地域が参加しており、うち九地域が世界ジオパークに認

定されている。世界ジオパークのうち、阿蘇や山陰海岸は自然遺産候補に挙げられた資産でもある。

地質学的な遺産といえば、その意図するところは自然遺産の評価基準（viii）に相当する。その評価に応える地域の保全と、学習や普及を通じての活用を目指すといえば、大地に特化しているとはいえ、自然遺産の理念と重なる部分があり、実際、関係者はそのことを意識している場合が多い。また、沿革に見るように、二一世紀に入ってから始まった、比較的若い活動であるが、関係者の意欲的な広報活動もあり、社会に対する認知度も上がりつつある。

火山との共生をテーマにした洞爺湖有珠山ジオパーク(北海道)

フォッサマグナなど地質・景観をテーマにした糸魚川ジオパーク（新潟県）

雲仙火山を中心にした島原半島ジオパーク（長崎県）。上記2か所とともに日本で初めてユネスコ世界ジオパークに認定（2009年）

そのほかの国際機関や国際ＮＧＯなど

自然環境の保全に向けた活動を推進している団体は、今では世界に数多くつくられている。直接ユネスコと関係がなくても、なんらかの関係を持つ機構や事業も少なくない。国際的なＮＧＯもいくつか紹介したい。

ＩＵＣＮ（国際自然保護連合）＊

形式的にはスイス民法による法人で、ユネスコに支援されて一九四八年に設立されたＩＵＰＮが、一九五六年に名称を現在のように改めた。本部はスイスのグランに置かれている。会員は国家会員（加盟数九〇）、政府機関会員（一三〇）、非政府機関会員など（一一三一）に分かれる。日本からは一九七八年に環境省が政府機関として加盟、国家会員としては一九九五年に加盟している。他に一五のＮＧＯがメンバーとなっているが、私が代表を務めている生物多様性ジャパンもメンバー団体のひとつである。

野生生物の保護や自然環境、天然資源の保全などについて調査研究を推進し、関係各方面への助言、勧告、開発途上国、地域への支援などを行っている。絶滅の危機に瀕する野生生物のレッドデータブックの編纂や、自然遺産登録に向けての調査、評価に責任をもっている。ワシントン条約やラムサール条約にも深く関わり、後者では事務局の機能を受けもっている。

ＩＵＣＮ日本委員会は日本国内の加盟団体間の連絡強化のために一九八〇年に設立され、二〇〇一年には正式な国内委員会の位置付けが認められている。

生物多様性条約加盟国会議（第一〇回 ＣＯＰ10）が名古屋で開かれるに当たって、その準備のために、ＩＵＣＮ日本リエゾンオフィスが経団連自然保護委員会の応援を得て開設された。現在は大正大学地域構想研究所に事務局が置かれている。

ＩＵＣＮではこれからの自然との対応のあり方としてＮｂＳ（Nature-based Solutions 自然に根ざした解決策）の推進を図っているが、日本リエゾンオフィスでは、この考え方の普及に注力している【註２】。

ＷＷＦ（世界自然保護基金）＊

一九六一年に設立されたＷＷＦは、世界の一〇〇か国以上にオフィスを置き、五〇〇万人のサポーターが協力している。当初はＩＵＣＮの活動資金調達を目的としていたが、徐々に独立の国際ＮＧＯとしての活動を強化してきた。

パンダのロゴマークは広く知られており、エコロジカル・フットプリントという概念を提起して、自然資源の無謀な簒奪を避け、地球一個分の暮らしを目標とする生き方を模索する。科学的な情報に基づいて、環境保全に関わるあらゆる問題への対応を、いくつかの戦略に整理して地球規模で進めている。

日本での活動も、一九六八年に始まり、今も名誉総裁に秋篠宮皇嗣殿下を戴いている。二〇一一年からは公益財団法人として活動している。日本のエコロジカル・フットプリントを二・三と算出し、問題提起をしている。

ＣＩ（コンサベーション・インターナショナル）＊

一九八七年に設立され、米国バージニア州アーリントンに本部を置く国際環境ＮＧＯで、世界三一国にオフィスを設けている。気候変動と生物多様性に関わる課題に重点を置く政策提言などをし、生物多様性ホットスポットの認定では中心的な役割を果たした。人間には自然が必要だが、自然は人間を必要としていない、などというフレーズを掲げて、環境問題についての広報活動にも励んでいる。

日本列島は、先進工業国としては異例だが、生物多様性ホットスポットに選ばれている【註3】。この選定に関しては、英文版『Flora of Japan』【註4】記載の情報が参考にされた。

国際機構への日本における対応

国際的な機構、企画への参画は、自然の保全と利用にとって大切な戦略であるが、せっかくよく似た国際的な企画に参画しても、日本の対応機関の間の連絡の悪さなどで活動の推進が阻まれることもある。ここで挙げてきた国際企画について、日本の対応機関を並べてみると、自然遺産は環境省+林野庁、ラムサール条約は環境省、生物圏保存地域とジオパークは文部科学省内の日本ユネスコ国内委員会(事務局としては文部科学省国際統括官付)、IUCNは国としては外務省が窓口となるが、環境省も政府機関として対応し、IUCN日本委員会はNGO会員も含めた組織となっている。

私もこれまでにいくつかの機構、企画に関係し、その間国内の省庁間の壁の高さに辟易し、そのための力の浪費で消耗したことも稀ではなかったが、私が関与する生物多様性関連の課題については、生物多様性条約が発効し、生物多様性国家戦略が作られた頃から、この領域の省庁間の交流は、担当者間の意識の高まりにも支えられ、格段の進展がみられるようになっている。この傾向がますます進んで、大変危ない状況に追い込まれている自然環境への対応がより良い方向に改善されることを願っている。

四章　これからの自然遺産への期待

自然遺産の現状認識1　科学的根拠

自然遺産について、しばしば一人歩きしている二つの誤解について簡単に言及しておきたい。

ひとつは、自然遺産は文化遺産と違って科学的な根拠に基づいて評価されているという言い方である（たとえば、朝日新聞社説二〇一一、七、二八）。確かに、自然現象については、科学的な実証に基づいて解明される事実がどんどん積み上げられており、自然遺産の登録に当たっても、できるだけ実証に基づいた評価が尊重される傾向にある。科学的な実証に基づいて評価すべきことは当然である。ただし、自然現象の理解については、科学が実証に基づいて解明しているのはごく限られた範囲であることもあらためて確認しておきたい。とりわけ、自然遺産の評価に関わる自然物についての情報の構築については、まだまだ調査研究が求められる未知の課題が山積している。現在までに明らかにされているごく限られた科学的な知見を連ねて、それらからの推量を根拠にした議論が多いこともわきまえておく必要がある。科学的な実証に基づいた判断については、確信をもって推進すべきであるが、解明された事実を連ねてそれより先が推量されている事例については、まずその推量が正しいかどうかの確認が求められる。自然遺産登録の根拠についても、科学的な根拠といわれるもののうちには、文化遺産の評価の場合と同じように、常に再検討が必要なものが少なくないことを共通の理解としたい。そして、評価の科学的根拠の構築の基盤となる調査研究の推進をこそ期待すべきである。

もっとも、そういえば、自分本位の開発推進論者ともいうべき人たちからは、どうせ科学的根拠というようなものは曖昧なのだから、などと自分勝手に拡大解釈して利己的な言い分を通そうとされることが危惧される。肝心なのは、科学的に実証されている事実も今ではごく僅かではないということである。実証的に解明されている事実には謙虚に向き合わなければならない。科学が実証している事実が限られた範囲だからといって、実証されているものまで無視するような暴挙は許されるものではない。科学的に実証されたものについては事実に基づいて行動し、事実を総合して推量されている事例については、常にその推量の根拠を確かめながら活動を展開すべきである。そのことは、文化遺産についても同様で、こちらにも科学的に実証された事実に基づいている論拠が、量的に少ないとはいえ、実在するのである。これは科学の社会への応用についてのイロハではあるが、ここであらためて確認しておきたい。

日本の自然遺産については、それぞれに科学委員会が設けられており、根拠となる科学的事実の構築に研究者らの貢献が積み上げられている。二〇〇三年の検討会も、科学的根拠に基づく論議が科学者集団に委ねられた。その頃までは、研究者の考えが個別に聴取されることはあっても、組織として集成されることはあまりなかった。個々の自然遺産に科学委員会が設けられたのは、一番早い知床で、〇三年の検討会の提案によって、登録前年の二〇〇四年だったが、他もそれに倣って、屋久島では二〇〇九年、白神山地は二〇一〇年、小笠原諸島は、登録された二〇一一年だった。環境省からの調査費補助だけでなく、財団など民間からの資金の助成も受け、さらにボランティアの活動も加わって、科学的な知見は堅実に積み上げられ、確実なデータに基づいた論理的な判断が、徐々に地域連絡委員会でも尊重されるようになっている。科学的な知見が完全に整ってから、などといっていては、それまでに貴重な自然が損なわれてしまう、という危機感から、科学委員会の活動も確実に成果を上げている（沼田ほか、二〇一六）。その活動が、地域のボランティアの活動を活性化しているのも顕著な現象といえる。

日本の自然遺産の科学的な調査の具体例として、特定の哺乳類の食害が科学的評価を必要とする重要な課題であり、全ての遺産地域に共通に生じている問題であることを例示しておきたい。

知床のエゾシカと屋久島のヤクシカはどちらもニホンジカの亜種であり、それぞれ北海道と屋久島（と口永良部島）に固有の動物である。屋久島では、もともと島に生育していたヤクシカの活動であり、固有種の個体数の人為的な制御には消極的な意見もあった。しかし、科学委員会の粘り強い調査によって、近年の個体数の増加が屋久島固有の植生に影響を与えている状況が明示され、今では個体数の制御が進められている。北海道でも、エゾシカの個体数の増加が島の各地で問題を生じており、知床半島でも、固有種ではありながら、個体数を制御する必要に迫られている。このように、特定の固有種が増加することによって、本来の自然環境に偏向がもたらされる場合、固有の自生種の人為的な個体数の制御が必要になるという問題は、環境問題をどう考えるか、人々の理解を得る必要のある問題である。

近年、日本列島におけるシカの個体数の増加は、植生に大きな影響を与え、その動向が、自然環境の保全との関わりで各地で大きな問題を投げかけている。白神山地でも、以前は生息していなかったニホンジカが目撃されるようになったのは二〇一〇年頃からとされるが、急速に個体数を増やし、その食害によってブナ林に影響が生じている。貴重な植生の保全のために、白神山地にとっては外来種であるニホンジカを防除したいところであるが、これは近隣地域からいくらでも侵入可能であり、自然遺産地域だけで制御するのは難しい課題でもある。

ヤギは人が馴染ませた家畜であるが、それが野生化する（ノヤギと呼ばれる）と自然に食害を及ぼすことがある。捕鯨基地にするため、寄港する船員らの食用肉の確保のために導入された小笠原のノヤギは、島々で個体数を増やし、島の植生に強烈な害を及ぼしてきた。駆除が大きな課題となっていたが、今では個体数が激減はしているものの、父島、兄島、弟島では完全駆除には至っていない。婿島では、ノヤギは駆除されたが、食害で平坦な島はすでに裸にされ、ヤギの導入以前の島の植生の記録がないので、植生の回復に向けてどのような施策が必要か、目標が定まらない状況にある。

南西諸島では山羊肉が食材として重用され、沖縄料理のヒージャー汁やヤギ刺しの他、ソウキソバのトッピングにも使われるが、ヤギも野生化する例がある。奄美群島では、ノヤギの個体数が近年増加の傾向にある。今のところ、食害の影響ははっきりと把握されていないが、世界遺産登録に合わせて、科学的な裏付けを取ることが期待される。

知床のエゾシカ。世界遺産地域の森林生態系へのダメージが深刻な問題

ヤクシカはニホンジカの固有亜種で屋久島と口永良部島にのみ生息

小笠原で野生化したヤギ

自然遺産の現状認識2　保全と利用

もうひとつは、自然遺産は保全一辺倒になりがちだと、しばしば批判的に論じられる点である。世界遺産は、人類に残された資産のうち、傑出した価値があると評価されるものである。もちろん、類い稀な資産と評価するものだから、その貴重な資産が無駄に蕩尽されないように保全することは、評価したものたちの最低限の責務であることはいうまでもない。

しかし、価値ある資産は保全しておけばそれでいいというものではない。保全するだけでは、袋にとじこめて大切に仕舞っておくようなものである。貴重な資産だからこそ、それを有効に活用するのが賢明な対応である。そこでいう賢い利用法というのが眼目である。目先の景気振興だけで収支の勘定をするものだから、環境保全との軋轢が問題となり、保全さえすればいいのか、という反問になる。価値の高い資産の賢い利用法、それが問われているのが世界遺産の活用法であり、それは自然遺産についても文化遺産についても同じことである。ただし、貴重な資産は、一度破壊されてしまうと復元不能であるという事実から目を背けてはならない。保全に偏るように見える活動が、無知から来る破壊への防御に向けられていることもあらためて確認しよう。

良い参考になるのは、日本人には分かりやすい、人と自然の共生、という生き方である。この表現、欧米語には翻訳できないし、翻訳できないのはその概念が欧米にないためである。それなら、日本でその利用法を生かすことで世界に範を示すことができるだろう。持続的な利用といえば分かりやすいようであるが、これは目的志向的で、元来計算ズクでは勘定の合わない行為を導く指針としては成功確率が高いとは期待できない。結果として、持続的な利用につながる資産の活用法を万人で共有することが望まれる。

自然遺産の利用といえば、自然資源の活用と優れた景観を核にした環境産業の振興が話題になるが、自然の活用については直接の環境破壊につながるような資源の採取にはわかりやすい制限が課される。危険視されるのは観光産業であり、過剰利用が環境に与える負荷が問題視される。実際、南西諸島の世界遺産登録に際しても、一部の観光産業の張り切りようは異様なほどだった。もちろん、保全は将来世代のためだけでなく、現在人が有効に活用するためであることは論をまたない。しかし、利用といえば観光資源としてだけだろうか。これも、地域の人の（という名目の元に、大きな資本が関与する）経済的な視線からだけでなく、訪問者側の視点でも評価する必要があるだろう。現に、保全のための情報構築に貢献しているボランティアの人たちの活動を見ていると、貴重な自然の価値を学び取るのは誰かがはっきり見えてくる。宣伝に唆されて、どこどこへ行ったことがある、と経験録を積み足すだけの旅行で浪費して疲れて帰るよりは、そこで何を学ぶかを真剣に考える自然体験を期待したいし、メディアの紹介にもその線に沿った自然遺産らしい方向づけが期待される。実際にいくつかの自然遺産で、地元の人たちの間に、自分たちの自然資源を大切にしながら活用するためには何が必要か、を真剣に語り合う雰囲気も生じていると聞くが、期待できる活動である。

世界遺産の望ましいかたちと自然遺産

すでに触れてきたように、世界遺産という具体的な対象物＝資産はなくて、文化遺産、自然遺産、複合遺産の総称として世界遺産という言葉がある。それが現実であるが、しかし、それでいいのだろうか。誇りにし、保全の大切さを意識するのは、世界を代表する類い稀で貴重な資産ではなかったか。傑出した資産を保全しようという考えが、文化財を護ろうという人たちと、自然を大切にしようという人たちと、それぞれに並行して進行していた努力が一本化されて世界遺産と名付けられたために、取り上げられた具体的な資産は文化遺産と自然遺産になった。(不動産でない文化遺産は無形遺産として登録される)。それぞれの登録の是非の評価も、イコモスとIUCNという全く別の機構に委ねられており、それらの評価を踏まえて登録すべき資産とするかどうかを決めるのを世界遺産委員会としたので、世界遺産という言葉が使われるようになった。

森の文化、砂漠の文化というような表現が使われることもあるように、文化の特徴を裏付けるのは民族の遺伝的特性よりは、その文化を生み出した背景の自然環境の影響である。そういう見方で、日本文化を考えればどうだろう。日本人の起源はまだ確認されているわけではないが、どうやら、人類のうちの特定の系統が日本列島を征服してそこに定住したという純系の民族ではないらしい。四万年ほど前に最初の移住者が列島にたどり着いたらしいが、その後も、北から騎馬集団が、西から陸を歩いてやってきた人たちが、南からは小船を漕いだ人たちが、といろんな時期にいろんな系統の人たちが列島にたどり着き、先住者と諍いもあったのだろうが、適当に折れ合うこともあって一緒に暮らしてもきたらしく、多様な系統がひとつになって列島に住み、さまざまな血縁集団を核とする地域集団をまとめて、六、七世紀頃になってやっとクニの形を整えるようになり、日本人や、さらには日本文化というような概念を育てたらしい。大切なのは、みどり豊かな自然環境に恵まれて、資源争奪のための苛烈な競争が演じられることもなく、限られた資源を大切に使い、多様な自然と一体となる共生を演じてきたことが特徴で、それは民族の特性というよりは、自然環境がもたらした住民の生き様であるともみなされる。

私は特定の宗派に深く帰依した経験はないが、学生の頃から宗教にも関心があり、いくつかの仏教の経典や聖書を好んで読んでいた。大学を卒業した年に、井筒俊彦さんの『コーラン』の和訳が岩波文庫から刊行された【註5】が、私が買い求めたのは、上巻は二刷りだったが、中、下巻は初刊本である。私が最初に訪れたイスラム国はマレーシア（一九六七年）であり、次はインドネシアだった。『コーラン』では、「潺々と清水の湧き出る楽園」という表現が度々出てくるが、マレーシアやインドネシアのような湿潤熱帯では、毎日のようにスコールに襲われ、河川は水に溢れ、みどりは豊かに国土を覆う。それなら、生きている自然環境そのものが楽園だといえそうだが、マレーシアやインドネシアの人たちは楽園に暮らしているわけではなく、モスクを訪れて敬虔な祈りを捧げる。

『コーラン』の表現に納得したのは、ずっと後になって、一九九七年に、中国新疆ウイグル自治区の砂漠地帯を二週間ほどかけて一周する旅に参加した時である。モスクも、東南アジアのそれら

世界遺産キナバル山（ボルネオ）でミレニアム登山（2000年）

昆明植物研究所の武素功博士（故人）と世界遺産の武夷山（中国福建省）で現地調査（2006年）

のように華美なものはなく、代表的なモスクでも偶像は置かれておらず、ただメッカに向けて小さな窓が開かれていただけだった。砂漠地帯の生活は、みどりの乏しい酷しいものだったが、オアシスには果樹に包まれた豊かな暮らしに恵まれていた人たちも見られた。マレーシアやインドネシアで華美なモスクを見た後だったが、砂漠を経験してはじめて、多分、『コーラン』はこういう背景で読まないと、部外者には理解できないものだと思ったことを思い出す【註6】。

日本文化と呼ばれるものも、漢文化の強い影響を受けながら、徐々に日本列島で特徴的な姿を育ててきたものだった。だから、古代の倭人のように漢文化を真面目に学習するだけだった頃には、独自の日本文化が主流になることはなかった。日本仏教は鎌倉時代に確立されたと整理されるし、庶民の間に日本的な伝統が広がったのは、やっと江戸時代に入ってからだったというまとめ方もある。しかし、カナ文字は平安時代には整っているし、万世一系の天皇を戴くとする政治形態も、漢文化の猿真似ではない。

ここで文化一般に議論を広げるのは私の意図ではない。しかし、自然との付き合い方がそこに住む人々の文化を育てたというなら、人と自然の共生という生き方を普遍化したのは、日本列島に住み着いた人たちの、自然との付き合い方であり、結果論でいうと、今こそそこから学びたい地球人の生き方の模範である。地球の持続的な利用というようなヒト本位の理想が叶うのは、人々が自分のためだけの生き方に固執しないで、自然と共生する生き方を求めることができるときだけだろう。

文化の多様性の背景に自然の多様性を置くというなら、世界に誇ると評価される文化遺産には、背景にそれ相応の自然の特性が秘められていると知るだろう。わかりやすい例を挙げれば、熊野古道と紀伊山地は山岳信仰の伝統を残しているし、後述するように、富士山の信仰と芸術の源泉に秀麗な富士の山容があったことを軽視する人はない。これらの文化遺産は、今の制度のもとで複合遺産にしようとすれば、自然遺産としての審査を受ける必要があり、今の制度のもとで自然遺産としての評価を受けるにはそれなりに難しい課題が見えてもくる。しかし、それは制度の壁であり、戦略上の課題である。これらの資産を、文化の遺産ではあるが自然の遺産というには不足がある、などと論じるとすれば、それは賢明な論議ではない。多分、資産が文化に顕著に反映されている遺産だとか、自然そのものが類い稀であると評価される遺産と説明されつつも、世界遺産として持続的な利用を図るのが人類の叡智といえるのだろう。ただし、一旦確立された制度を修正することは、現在のように複雑な関係性を構築している社会では、絶望的に難しい。制度に従いながら、その本質は何であるかを、受け取る人が自分で納得するのが、すでに構築された歴史に従う場合には、精一杯の対応である。

ここで、もう一点、自然遺産という名称との関わりで、自然という言葉の日本での使われ方についても注目しておきたい。現在では自然という語は第一義的に「nature」の訳語と理解される。しかし、日本語として古来使われてきた自然の意味は、『老子』の自然（じねん）に基づいており、江戸時代の文献に出てくる用法は、自ずからそうなる、という意味で使われたものである。欧米語との対比としては、一七九六年にまとめられた『波留麻和解』（オランダ語の辞書）で、オランダ語の「natuur」の和訳として「自然」という言葉が当てられている。「自然」が英語の「nature」の意味で使われるのが普通になったのは明治以後である。（ここでは、ラテン語の「natura」のもとになったギリシャ語の「physis」にまで遡って、自然観の歴史を振り返ることはせず、現に使われている用語の単純な比較にとどめたい）。

「自然」という現代日本語は、みどり豊かな場所を広く指すようになっている。だから、ふつうに、「二次的自然」と使われる。手つかずの「原生自然」に対して、人手は入っているが、みどり豊かで自然のような景観をつくっているところを表現するものである。「二次林」というような言い方に合わせて、いつからか使われるようになった日本語の言い回しである。

ところで、英語の「nature」は「自然」というよりは、厳密に日本語に合わせるとすれば「原生自然」の意味であって、人手が入ればそれはもう「nature」という語で示せる状態ではないと理解されている。「secondary nature」という表現は成立しない。自然の要素である野生生物が自然に生きているところは、市街地にある「pockets of nature」などと表現されることがある。もちろん、地球上のどこへ行っても人為の影響のないところなどほとんど無くなっている現在では、欧米でも、真の意味での「原生自然」などなく、「nature」も人為の影響のあるところまで拡大して使われるのは自然の成りゆきかもしれない。それにしても、日本人の使う英語に「secondary nature」という表現を見ることがあるが、英語で「Habit is the second nature」などと使われるのは、「nature」の「性質」の意味での用法のひとつであって、日本語でいう二次的自然と同じ使い方はない。だから、自然豊かと形容される棚田や里山は、日本では二次的自然というが、「nature」という表現に収まる風景ではない。みどり豊かで、自然の要素に富んでいるとはいえても。

これに関連しての個人的な経験であるが、二〇〇〇年代初頭にユネスコMABの国際調整委員会の副議長を務めていた頃、日本の里山のような地域を生物圏保存地域(BR)に含めたいという期待から、アーバン地域のBRについて検討するよう提案し、作業グループまでつくって議論をしたが、アーバン地域には「nature」は残っていない、私が説明した里山も人為による開発が進んだ地域だ、ということで、結局まとまることはなかった。里山のような景観は、「nature」ではなく、世界遺産でも文化的景観の領域に収まるものである。里山の自然、などという表現は日本語だけで可能なものであることを承知しておきたい。さらに、里山という用語が、そもそも使い始められた頃に応じた辞書などの定義と比べると、現在使われている意味はずいぶん広がっており、里地里山をひっくるめて里山を意味するのがふつうになっていることも、付記しておきたい。

自然遺産の新規登録と管理、維持

自然遺産の総数はすでに二〇〇を超えているし、複合遺産を加えると、二五〇を超える数に達している。地球上の自然遺産に妥当な数というようなものはないし、現在の自然遺産が地球上に平均的に配置されているというものでもない。しかし、世界遺産を登録することの本来の意味を改めて考え直すことによって、世界遺産の現状にどのように向き合うのかを考えるのも、世界遺産の意義を生かすことである。

自然遺産の新規登録を増やすことによって、地球上に現存する類い稀な自然の意義を世界に問い、その資産の持続的な利用につなげようという考えがある。持続的な、という形容語をどのように理解するかは使われる場に応じて多様であるが、現実には、自然遺産の新規登録への申請は後を断たず、審査のために費やされる経費も世界遺産委員会の負担になっている。新規の登録申請のうちには、まだ埋もれている資産の価値を世界に問い、傑出した自然が非意図的に人為に犯されてしまう愚を事前に防ぐための優れた活動もあるのだろうが、中には、観光振興など、地域の経済発展に資することを主目的にしたものもないとはいえない。世界遺産という旗を立てることによって、資産の知名度を上げることが、観光客の増加につながる現実を参考に、新たな開発が意図されている場合もあるようである。現地調査を行っても、審査では、衣の下に隠された鎧をしっかり摘出することは容易ではない。それどころか、ＩＵＣＮの審査で問題点が指摘され、登録に消極的な評価が出されても、世界遺産委員会で、多分に政治的な判断が優先されて、逆転して登録が認められる例さえ見られる。

せっかく自然遺産に登録されても、その管理、維持が理想的に進められるとは限らない。オマーンのアラビアオリックス保護区のように、登録から削除される事例は極端だとしても、危機遺産に挙げられている世界遺産は少なくない数であるし、最近では危機遺産リストに載せようとする提案が、当該国の抵抗などにあって世界遺産委員会の共通の理解にならない例もある。危機にあると評価されることによって、保全に向けての危機意識を高めようという姿勢よりも、危機にあるとの認定を避けることによって、その資産からの簒奪を続けようという目前の利益優先が勝ちを制することになるのだろうか。

日本の自然遺産は五件になっている。最初に登録された一九九三年の頃に比べると、世界遺産の管理、維持に責任をもつ体制は明らかに改善されてはいるが、根本的な改善はできているとはいえない。限られた予算と人員配置によってできることには限界があるにしても、登録された自然遺産をもともとあった自然の状態のままに保全する責任は、登録を期待し、申請した地域、国の責任である。その資産の優れた価値を、地球を代表するものと自信をもって推薦したはずである。自然遺産の登録に期待する課題は、登録に成功しても、問題提起はできても、すぐに解決に結びつくものではない。問題提起をするための科学情報の構築だけでも、膨大な努力を必要とする。登録することによって期待した自然遺産の意義を全うするために、具体的な管理、維持の活動を構築し、世界遺産で掲げようとした目的の達成に結びつけるようでありたい。

さらに問題の本質を問うとするならば、自然遺産にのしかかっている危機には、当の資産とその周辺だけの問題に閉じない条件も少なくない。地球温暖化による生物多様性の劣化や、具体的に名指していえばプラスチック廃棄物などによる海洋汚染による生物の生活への圧迫など、当該地域だけでは収束しきれない問題を、地球規模で問題提起し、解決の道筋を模索することも、地域の自然遺産の保全にとって不可欠の課題であると知りたい。白神山地のニホンジカの制御のためには、日本列島におけるニホンジカ総体の制御が不可欠になるし、そのためには地球規模での気候変動への対策が不可欠であるなど、具体的な例示が必要だろうか。世界遺産は、地球に生きる人類の自然と文化を持続的に利用する知恵を育てる手法として活用されるべきものだろう。世界遺産が地球の未来の守り神として機能できるかどうか、機能させられるかどうか、今人類に問われている。

自然遺産の保全と活用

文化遺産の登録のために関連の地域の人たちが活動される際、当該地域の文化が世界に認められることで誇りをもつことを目的とされるのは当然であるが、それと並行して、その資産が観光資源として活用されるのも現実である。そして、実際、世界遺産は観光資源として見事な権威づけになっており、当該地域の観光の振興につながっている。それが世界遺産の成功の一面であることは間違いない。これは、観光資源としての価値が過大に評価されることに通じているが、たくさんの訪問者によって、傑出した文化遺産が人々に大きな感銘を与えているという大切な事実も正しく評価されるべきである。

自然遺産についても、観光資源としての活用が意図されることに変わりはない。しかし、自然遺産については、類い稀な自然を保全するという目的がより重要視され、護りのための登録と曲解されることも少なくない。環境保全のために、資源の収集が制限されることがあり、収集のための施設にも制限が求められる。豊かな自然に依存して生活している人たちにとっては死活に関わる問題になることがある。外からの資本によって自然の平衡を損なうような資源の簒奪が行われることは防げても、地域の住人の伝統的な生活の様式が持続的に維持されることもまた自然遺産登録の目的に含めて考えられるべきである。

世界遺産の評価基準（x）には生物多様性の保全にとって大切な地域というくだりがある（日本の自然遺産のうち、この基準によるのは知床半島と南西諸島の二つである）。この項では、かつては、絶滅の恐れのある種の生育地域であることが重視され、絶滅危惧種の保全の大切さが示唆されていた。一九九二年に生物多様性条約が採択されてから、世界遺産の領域でも、生物多様性の生息域内保全が自然遺産としての特性であることを正しく認識しようとし、評価基準にも、その維持、管理の必要性が明記された。実際、優れた自然と認められるような場所には豊かな生物多様性が生きている。現に自然度が高いところには、人為的な干渉が乏しいのがふつうではあるが、だからといって、野生生物の多様度が高いことはいつでも自然の要素が大きいのと同一というのではない。砂漠の自然では、生物の多様度は高くはなく、砂漠にみどりを導入し、生物の多様度を高めることは、人為を加えることであって、自然破壊に相当する（人為の干渉が大きいところでも、里山や棚田地域のように生物の多様度が高い場所も珍しくはないが、その話題はここでの議論の対象ではない）。

地球上の自然には、それぞれの場所にふさわしい生物相が形成されており、平衡が保たれている。進化の結果落ち着いた自然物、とりわけ生物相の平衡を維持することが自然を護る根本である。生物多様性の動態を知るために、科学の認識が追いつかない場合には、絶滅危惧種の状況を探ることによって推量することは、生物の種多様性研究にとって、常識的な手法となっている。評価基準（x）で、生物多様性の生息域内保全との関わりで、絶滅のおそれのある種を重視しているのは、それが自然の現状を示すモデルになると認識されるからである。それと並行して、基準（viii）で、生物の進化が演出されているとみなされる地域も、優れた自然と認識される（日本の自然遺産のうちには、この基準に該当すると評価されているものはない)。

現実には、類い稀な自然が保全されているところは、言い換えれば人為の影響が乏しいところで、人が近づきにくい、不便な場所であることが多く、必然的に自然の基礎的な調査も遅れている。種多様性の基盤的な調査から始め、絶滅危惧種の状況など、その地域の自然の現状を認識し、評価の高い自然については、保全に結びつけるための自然遺産としての登録が期待される。

自然遺産と生物多様性の持続的利用

自然遺産の運用に当たっては、生物多様性条約のような国際条約が締結されたことをうまく取り入れる柔軟性も見られることに、前項で触れた。これは大変大切なことであると指摘したい。国際的な活動でも、さまざまな組織、機構が、それぞれ独立に活動して、横の連絡が十分に取れない例が少なくないことを常々感じているからである。(世界遺産と生物多様性については吉田正人さんの二〇一二年の総説も参照されたい)。

そこで、もう一歩突っ込んだ問題提起をしておきたい。とりわけ、世界遺産条約では、文化遺産、自然遺産を国際協力によって保全(protection)しようという目的を掲げているが、この、保全、保護という言葉は普通「護る」という意味で理解され、今ある状態を破壊しないようにすると考えられる。その言葉の印象からか、自然遺産も保護に徹する企画と誤解されることがあるらしく、資産の有効利用を期待し、地域の活性化に資すことを期待する向きからは目を背けられることになる。

生物多様性条約の場合は、保全だけが前面に出るのではなくて、その持続的利用を目指す、と目的の表現が異なってきた。時代背景を示すともいえるが、とにかく開発といっていた成長一本槍の時代から、自然の手厳しい反発に少しは意を注ぐようになり、資源の一方的な簒奪への反省もあって、利用には持続性がなければならないという視点が強調されるようになったのである。

世界遺産の目的にしても、保全という語の意味が、資産を大切に容器に収めて、誰も手を出せないようにして保護しよう、という意味で用いられたことはなかっただろう。世界に誇るほどの資産は、人類がその傑出した価値を味得して初めてその意義が理解される。保護といいつつ、まさに、活用するための持続性の維持なのである。

ただし、持続的な利用という表現にも危ないものを感じないわけではない。持続するかどうかは、人智で評価しようとする。確かな評価をしようとするなら、対象についての情報を十分にもち合わせていなければならない。自然遺産についていうなら、今我々は自然遺産と呼んでいる資産についてどれだけの情報をもっているだろう。どのような行為が、対象とする地域の自然の持続性を維持する範囲のものかを判断するだけの、その地域の自然についての情報をもっているか。多くの場合、ごく限られた情報の構築はできていても、限られた情報によって推察できる未来の評価は極めて不確実性の高い状態にある。持続性が保証されないなら、人為によって自然に変貌を強いるのは、二〇世紀後半以降特に厳しく人類が咎められてきた自然破壊という結果をもたらすと危惧される。

自然遺産の評価基準（x）で、生物多様性条約成立以前には、絶滅危惧種がよい手がかりとなっていた。ここでいう絶滅危惧種は、実態についての情報構築が甚だしく遅れている生物の種多様性の、最近における人為の影響による劣化の状況を指標するモデルとして上手に利用されていたものである。時代の流れに応じて、生物多様性と書き換えられ、それなりに申請書の書き方も進歩して、評価の客観性も高められてはきた。しかし、そうして登録された自然遺産の価値が高いということはどういうことか。それこそ、登録されるだけに貴重な自然遺産をどのように持続的に利用するかを企画することである。実際、資産の管理計画の立案と、執行状況のモニタリングは慎重に後付けられるようになっている。

持続的に利用すると口ではいっても、具体的にどうしていいか、情報不足で企画の立案に戸惑う、というのが実際には誠実な対応法だろう。世界の二五〇を数える自然遺産、複合遺産のうち、どれだけの資産で純粋に客観的に準備された対応がとられているだろう。

いうまでもなく、完全に理想的な状況など期待できるものではない。それなら、何が許容され、どのような利用を行えばいいのか。ここでもう一度、抽象的な表現に聞こえるかもしれないが、人と自然の共生という日本で生かされてきた歴史を学びたい。このことを論じるためには、歴史を通じての実態を考察し、具体的な提案につなげる論議を必要とするが、ここはそのための場ではない。誤解を懸念することなく、結論だけを書くとすれば、今日の利益だけを求め、右肩上がりの成長の加速を求めるだけでなく、科学が解明した事実に基づく考察に忠実に、持続性が期待される範囲の資源にもとづいた生活を維持しながら人の社会の堅実な成長を期待することだろう。そのような生き方を示す基準のひとつとして、世界遺産の保全を考えることが当面の課題であると考える。

文化遺産を育てる自然

最後に、世界遺産は自然と文化に分断されずにひとつのものと理解したいと考える論拠を、文化遺産の富士山を例に具体的に考えてみよう。

「富士山—信仰の対象と芸術の源泉」は二〇一三年に文化遺産に登録された。申請の段階から、メディアなどから、富士山は自然遺産の候補に落第したから文化遺産に登録された、という声が聞こえてきた。自然遺産を考える〇三年の検討会で、直近に登録を期待する候補として三候補を選んだ際、富士山は先送りにされた。検討会で指摘され、すぐに登録に向けた活動に適しないと判断されたのは、自然遺産の評価の基準に合う自然の特性は中腹以下に集中し、そこは開発が進んでいて、保全の施策を整えて自然遺産に指定できる地域が特定しにくいこと、ゴミの放置やし尿廃棄の問題が深刻で、その処理が急がれること、などだった。評価基準（vii）があるではないか、との考えもあったようだし、実際富士山の自然美が類い稀であることを疑う人は私の周辺にはほとんどいない。しかし、自然美という感覚は科学的根拠の乏しいものであり、学術的に実証できる客観的な評価は難しい。いずれにしても、富士山が自然遺産の候補であることは確認されていた。

文化遺産に登録された富士山は、信仰の対象であり、芸術の源泉であることが評価されたのであるが、いずれの現象にも富士山という秀麗な山岳の自然美が背景にあることは自明のことである。だから文化遺産候補として評価される過程で、自然景観美を評価する基準（vii）での審査の可能性を打診されたようであるが、この基準での評価を求めるとすればＩＵＣＮの審査が必要となり、そうなれば（viii）（x）の基準でも審査の対象になるということで、審査の申請自体を取り止めにされたということである。自然遺産にふさわしくないとは誰も思わないのだが、現在の自然遺産登録のための評価に耐える戦略には合わせ難いのである。（このことは、〇三年の検討会の直後、静岡新聞の求めに応じて、短い文を寄稿し、説明したが、反響はほとんどなかった）。

結果として富士山は文化遺産に登録されたが、その資産面積の九〇パーセントは国立公園の領域であり、〇三年に危惧されたゴミ廃棄の問題は、その後の処理（ボランティアの活動も話題となった）によって数年後には見違えるほどきれいになったといわれる。ゴミ廃棄は、登山者が捨てるものだけでなく、業者による産業廃棄物の不法投棄も目に余るものだったらしいが、これらの規制も成果を上げたのである。し尿処理については、環境配慮型トイレへの改修が進められ、〇七年頃までは登山路のほとんど全てのトイレで垂れ流しがなくなった。その後も改修は進められ、この問題が環境汚染に決定的な影響を与えることは防がれている。（その意味では、〇三年の時点で、自然遺産候補として登録の申請をしなかったことは正解だったともいえる）。文化遺産だからといって、自然環境はどうでもいいとされないのはいうまでもないことである。これは世界遺産のどちらに登録されているかという問題ではない。

自然遺産としての積極的な根拠である生物多様性などの特性が、開発が進み、人口密集地帯になっている山麓を中心とする部分に集中しているという事実は、今更原始の状態に戻すことができない現実ではあるが、富士山が、類い稀な自然美を描き出しており、特徴的な自然に恵まれているのは確かな事実であり、ゴミやし尿などの人為の影響を打ち消したところで、自然遺産としての価値も見直すことはできるだろう。自然遺産としての評価基準に合わせた地域設定が難しかったとしても、富士山の文化遺産が、独特で優美な自然を背景に描き出されたものであることが否定できない事実だとすれば、富士山こそ、文化遺産というよりは、世界遺産の本来の姿である複合遺産であって欲しいものである。そういう理解が普遍化してこそ、世界遺産とは何かという基本に戻り、人類が大切にすべき遺産の価値を論じることになるのだろう。富士山の世界遺産としての評価を、世界遺産委員会のリストのどこに登録されているかという視点だけでなく、資産としての意味、実態に則して考えるのは、この世界遺産を活用する側の評価の仕方だろう。

ただ、私の個人的な感想を付け足させていただけるなら、それだけ尊い人類の遺産であり、現に文化遺産として愛されている富士山の一廓で、人を殺すことを恥じないとする射撃場が、咎められることもなく続いて運営されていることはどうにも理解できない現実である。

註

1　『ユネスコエコパーク』松田裕之・佐藤哲・湯本貴和編著、京都大学出版会、2019年

2　「NbS 自然に根ざした解決策：生物多様性の新たな地平」(特集)古田尚也編、『BIOCITY』86号、2021年

3　*The Biodiversity Hotspots*, Conservation International, 2012

4　5,500種にのぼる日本の野生植物(シダ植物および種子植物)について、分類学的情報を英文書として編纂。1993年から2020年にかけて全8巻＋索引が刊行された(講談社)。南千島、小笠原諸島および琉球列島を含む日本全域の情報を網羅(参考文献参照)

5　『コーラン』上、中、下、井筒俊彦訳、岩波文庫、1957-58年

6　岩槻邦男『シルクロードに生きる植物たち』研成社、1998年

参考文献

岩槻邦男・下園文雄『滅びゆく植物を救う科学：ムニンノボタンを小笠原に復元する試み』研成社、1989年

沼田真也・可知直毅・保坂哲朗　「研究活動は観光資源になりうるか？」『観光科学研究』9号、2016年

吉田正人『世界自然遺産と生物多様性保全』地人書館、2012年

吉田正人『世界遺産を問い直す』ヤマケイ新書、2018年

K. Iwatsuki, D. E. Boufford, H. Ohba and T. Yamazaki (eds.), *Flora of Japan*, 8 issues and index, Tokyo: Kodansha, 1993-2020

M. Udvardy, *A Classification of the Biogeographical Provinces in the World*, IUCN, 1975

世界遺産と「日本の文化論」

五十嵐敬喜

はじめに

世界は現在第二次大戦以降最大の混乱を迎えているといわれている。周知のように新型コロナの猛威にプラスした、二〇二二年の「ウクライナ危機」は、戦後およそ七〇年の間に世界中が築き上げてきた、国際・国内の全体にわたる政治、経済あるいは文化の秩序を根底的に揺るがすものとなった。仮に、この戦争で原子力発電所への攻撃や核兵器の「故意的使用」が行われれば、ウクライナ、ロシアなどの地域だけでなく、地球自体の存続に計り知れないダメージを与えることはあまりにも明白である。

国連教育科学文化機関、すなわちユネスコとは本来、このような危機が生じないよう、心の交流と教育を通じて、その発生を未然に防止していくという、第二次世界大戦の痛切な反省のもとに、国際的なミッションとして成立したものである。そして、「世界遺産」はその最も目に見えるシンボルであった。端的に言えば、世界的に「顕著で普遍的価値」を有する文化遺産・自然遺産の永久的な維持保存に合意することによって、間接的に、それを破壊する戦争を阻止ないし防止するというものである。

なお、このような危機の観点から、戦争とは異なるが、もう一つ世界遺産を取り巻く危機についても触れておきたい。それは、最近の「グローバル化」に関係する。本稿は特に世界遺産の文化遺産と自然遺産という二つの遺産のうち「文化遺産」の「文化」という部分について検討を加えようとするもの（もちろんグローバル化で発生している地球温暖化により地球環境が著しく損なわれていくという意味では自然遺産も無縁ではない）であるが、それは文化の本質にかかわる。文化とは何か、という問題については後に詳しく見ていくが、それはそれぞれの地域の固有の生活や産業など社会全体のなかで生み出されてきた。その意味で「個性的」であること、そしてそれはその社会全体によって支えられ持続されてきたということは疑いがない。しかしグローバル化はもろもろの意味で社会の進歩に貢献していることは言うまでもないが、その反面、世界全体を画一化・標準化し、地域文化を消滅させていく可能性がある。また特に日本に見られる少子高齢化による人口の減少は、新しい地域文化を生み出すエネルギーを消失させるだけでなく、既存の文化資産の維持すら困難にしていくのではないか、と危惧するのである。すなわち、戦争は外部的な目に見える危機であるが、グローバル化や人口減少はいわば、日常化している見えない脅威といってよいだろう。

個性的であるということは、そこで生活していた人々のアイデンティティを示すものである。アイデンティティは、世界の均質化が進めば進むほど人々の生活を豊かにするために必要となる。また、いかに人口が減少しようと、文化は人々に独自性や誇りを与えるものとして持続され、かつ新たに創造されていかなければならない。生命体としての地球は、それぞれの国や地域の文化が、言葉の真の意味で「多様」であることによって光輝くからである。地球とはその成立の原点からして、人間はもちろん、動物や植物などを見るまでもなく、「多様性」の集合体なのであり、それが無限に関係し、相互に依存しあっている事実こそ「命」の根源なのである。

本題に入ろう。では日本の文化とは何か。これについては、古来絶えず語られ論じられてきた。しかし、それらは多くは一部の階層（権力者、貴族や武士、学者など）のものであり、必ずしも国民全体で共有するというものではなかった。文化が国民全体のものとなったのは、「日本という国」の鎖国が解かれて、外国との関係が急浮上してきた明治維新以降である。さらに言えばそれが最も鋭く問われたのは、太平洋戦争における「敗戦」という事態を突きつけられた「戦後」といってもよいのではないか。「敗戦」によって、日本は日本の根源にあるとされた「天皇＝神」（明治憲法）という価値観が根こそぎ覆された。その結果「日本とは何か」、もっと根詰めればそもそも「日本人とは何か」という問いを自問せざるを得なくなったのである。

その結果、日本の全歴史のなかで、文化と呼ばれるものについて全体的にかつ歴史的に考えなおす（読み解いていく）という、いわば「総論あるいは通史」という作業と、思想や宗教を頂点に、文学（短歌や俳句などを含む）、絵画や芸術、寺や寺院などの建造物、茶や茶室そして茶道などなど個別文化の検証という作業が行われてきた。そして、言うまでもなく、これらの作業は、実に豊富かつ多彩に語られ、現在に継承されてきている。ただ、日本の文化をあくまで日本の視点で見るというものが多く、世界の普遍的な価値との比較という観点から検証するという作業は意外と少なかったのではないか。もちろん、世界との関係については、古代の中国や朝鮮の仏教文化の影響、江戸時代の洋学、明治維新の文明開化、そして戦後の象徴天皇と基本的人権など文化の背景となる社会について研究は膨大なものがある。外国人もまた多くの論者が日本文化論を書いている。しかしそれらはあくまで、日本の文化を日本のなかで考えるというようなものであった。

しかし冒頭に見たように、現在は「グローバル化」の時代であり、人・物・情報は容易に国境を越え、自由に行き来できるようになった。言ってみればこのような時代のなかで、世界遺産は世界という視点から、それぞれの国や地域の固有の文化を発見し、その「普遍的価値」を証明し、登録することによって、これまでにない「世界文化」を構築しようとするものであった。興味深いのは、日本で価値あるものとされるものと、世界的に価値あるものとの間に差異があり、その差を明らかにすることは、日本の文化論を刺激し、さらに豊穣にし、グローバル化が進む将来のなかで、日本のアイデンティティをより高めることになるのではないかということである。これが本稿の問題意識である。

まず、ざっと世界遺産に登録された日本の文化遺産を見ておこう。日本がユネスコに加盟したのは、一九五一年である。ユネスコで世界遺産条約が採択されたのが一九七二年で、日本はそれから二〇年後の一九九二年に条約に締結した。それから、二〇二二年までの三〇年の間に、第一号となった文化遺産「法隆寺」「姫路城」から、自然遺産「奄美・沖縄」（本稿では、世界遺産の名称の一部を略称で表わしている。正式名称は表1を参照）まで、文化遺産二〇件、自然遺産五件が登録され、今後も増加していくと予想される。

登録された文化遺産を時代的に見ると、縄文時代から二〇世紀の国立西洋美術館まで、日本の歴史の全年代（通常の日本の歴史区分である原始、古代、中世、近世、近代、現代）にわたっている。また地政学的にもそれは、北は北海道の縄文遺跡から、南の沖縄のグスクまで、ほぼ全国土にまたがり、かつ権力や政治の中心地であった京都や東京だけでなく、それらからはるかに隔たっている北海道や沖縄という「地方」にも存在している。

また、文化の主体から見ても、古墳を造った豪族、東大寺を建立した天皇家、姫路城や日光東照宮などを建築した武家のように、時の権力者が創り出した文化財だけでなく、白川郷の合掌造りや、熊野古道など、いわば「庶民」の文化と言うべきものもある。

これら日本の登録資産の全体を見ると、個別文化を超えて、日本の文化の総合的な評価の対象となりうる実態が備わってきている。従ってそれらは日本文化論の通史として語ってもよい段階に入った、とみて差し支えないのではないか。

先ほど、日本で文化とみなされているものと、世界に登録された文化との間には、共通する部分が圧倒的に多いが、しかし「差」もあると記した。この「差」についてあらかじめ言及しておくと、登録された資産と登録されない資産、登録された資産についての評価、双方の制度、さらにはそれぞれの文化に対する双方の「近親性」と日本の「独自性」がある。

14C	琉球王国のグスク及び関連遺産群（沖縄県）	2000年
	◆日本、中国、東南アジアの交流の中で成立した独立大国　◆豪族（按司）の城塞（グスク） ◆祈りの場としての斎場御嶽　◆ニライカナイ（かなたにある神の国）は自然崇拝の信仰	
15C	石見銀山遺跡とその文化的景観（島根県）	2007年
	◆16～17世紀の大航海時代、石見の銀がアジア・ヨーロッパの貿易国との商業的・文化的交流源に ◆17世紀後半、年間約38トン（世界産出量の3割） ◆小規模な「労働集約型経営」に基づく優れた運営形態の進化　◆文化的景観	
16C	姫路城（兵庫県）	1993年
	◆外観の美しさと螺旋状にめぐらされた曲線、難攻不落の砦 ◆天守閣は日本人の創意から出た多層建築　◆木造建築を維持する技術の継承	
17C	日光の社寺（栃木県）	1999年
	◆東照宮の建造物群は、日本古来の建築様式の形態 ◆神格化された自然環境を背景に、その前面の傾斜面に社殿を位置する配置は、日本の代表的な景観構成 ◆極彩色の麒麟、竜などの透かし彫り、500体	
17C	長崎と天草地方の潜伏キリシタン関連遺産（長崎県、熊本県）	2018年
	◆禁教下で神道の信者や仏教徒など偽装　◆平戸の聖地と集落、天草の﨑津集落 ◆五島列島に移住（頭ケ島集落と野崎島集落）　◆大浦天主堂と信徒の発見	
18C	白川郷・五箇山の合掌造り集落（岐阜県、富山県）	1995年
	◆釘などの金属を一切使わず、環境や風土に合わせた独特な合掌造り　山間部で暮らす人々の文化交流 ◆地域の生産体制、大家族制度、伝統に見合った土地利用	
19C	富岡製糸場と絹産業遺産群（群馬県）	2014年
	◆明治5年（1872）に明治政府が日本の近代化のために設立　◆1920年代、世界一の生糸輸出国に ◆日本の伝統構造と西洋のレンガ造りが合体した木骨煉瓦造りの製糸場が現存	
19C	明治日本の産業革命遺産　製鉄・製鋼、造船、石炭産業 （岩手県、静岡県、山口県、福岡県、熊本県、佐賀県、長崎県、鹿児島県）	2015年
	◆日本の近代化のため西欧先進国からの技術導入　◆東アジア、ヨーロッパにおける文物や文明の交流 ◆九州、山口など8県11市23の構成資産　◆文化庁ではなく内閣官房が推薦	
20C	原爆ドーム（広島県）	1996年
	◆核兵器の究極的廃絶と世界の恒久平和　◆核兵器による被ばく後の惨状を伝える ◆世界平和を目指す活動の記念碑として、世界でも他に例を見ない建造物（イコモス）	
20C	ル・コルビュジエの建築作品―近代建築運動への顕著な貢献 （東京都、フランス、ドイツ、スイス、ベルギー、アルゼンチン、インド）	2016年
	◆人間の創造的才能を示す傑作　◆近代建築運動＝近代人の社会的・人間的欲求への答え ◆半世紀にわたる地球的規模（四大陸）での人的価値の交流	

表1　日本文化論からみた日本の世界遺産年表

時代（始まり）	資産名（所在地） ■：日本文化論からみた特筆事項（筆者作成）	登録年
縄文	北海道・北東北の縄文遺跡群（北海道、青森県、岩手県、秋田県）	2021年
	◆1万年にもわたる争いのない平和な社会（日本人の協調性の起源）　◆造形美溢れる土器や土偶 ◆気候変動にも対応した自然と人間の共生　◆生物多様性は縄文文化の基層	
縄文	富士山―信仰の対象と芸術の源泉（静岡県、山梨県）	2013年
	◆壮麗な姿は詩歌や小説などの文学作品　◆日本や日本文化を象徴する記号 ◆修験道は山岳宗教と密教、道教が融合　◆葛飾北斎の浮世絵が西洋美術に影響を及ぼす	
4C	「神宿る島」宗像・沖ノ島と関連遺産群（福岡県）	2017年
	◆沖ノ島は島全体が神体（海路の安全を守る祭祀） ◆宗像大社は日本最大の約8万点の国宝。宗像三女神の信仰神と自然が一体 ◆神と人間が祭祀で結ばれる　◆自然神、アニミズム	
4C	百舌鳥・古市古墳群―古代日本の墳墓群（大阪府）	2019年
	◆ヤマト王権が倭の統一政権として確立　◆前方後円墳の建造 ◆大仙陵古墳（仁徳天皇陵）は日本最大、世界最大級の古墳 ◆大陸から文字（漢字）、仏教・儒教が伝来	
6C	紀伊山地の霊場と参詣道（三重県、奈良県、和歌山県）	2004年
	◆吉野・大峯、熊野三山、高野山は自然環境を中心に数多くの信仰形態を育む ◆人間と自然の共存　◆熊野古道は上皇・女院から庶民にいたるまで多くの旅人が参詣	
7C	法隆寺地域の仏教建造物（奈良県）	1993年
	◆世界最古の木造建築　◆聖徳太子の時代　◆日本で最初の仏教寺院群 ◆支配階級が多大な労働力と財力を投入　◆本格的な彫刻や絵画、建築技術の発展	
8C	古都奈良の文化財（奈良県）	1998年
	◆平城京（710～784年）74年間にわたって日本の首都 ◆万葉集（7世紀後半～8世紀後半に編纂）は現存する日本最古の歌集（全20巻、4,500首）	
8C	古都京都の文化財（京都府、滋賀県）	1994年
	◆8世紀～19世紀頃まで日本の都　◆日本を代表する建築・庭園　◆日本独自の精神性や文化を育む ◆周囲の山中に寺院や貴族の別荘などが建つ景観　◆応仁の乱（1467年）で都市形態の喪失	
11C	平泉―仏国土（浄土）を表す建築・庭園及び考古学的遺跡群（岩手県）	2011年
	◆仏国土（浄土）を空間的に表現した建築と庭園群　◆日本人の死生観に大きな影響 ◆京都に比肩する最先端都市　◆中尊寺金色堂にみる黄金の文化	
12C	厳島神社（広島県）	1996年
	◆12世紀、平清盛が神殿を建造 ◆海と建造物と山が一体となった独自の景観は、日本人の精神文化を体現 ◆原始的な社殿を現在のような姿に発展させた清盛の構想力と美的センス	

しかし、これを十分に説得力ある様に明らかにするには、深くかつ膨大な個別の「専門知」とそれを統合する圧倒的な「総合知」が必要になる。それはもちろん、筆者の能力をはるかに超える。そこで本稿では、登録された個別資産について、あくまで筆者個人の興味に基づいて、世界遺産と日本文化論との比較や評価を行い、その一端を提示するという方法をとった。そのような意味で本稿は、ささやかな個人的・主観的な試論であることをあらかじめお断りしておきたい【註1】。

第一章　文化とは何か

文化財保護法と世界遺産条約

さて、文化論という場合、そもそも「文化」とは何か。その定義は論者によって様々であり、したがって全体論であれ個別論であれ、論じられる対象やその評価も様々になる。総じて言えば、日本では「文化」とは、思想・宗教というような、やや抽象的な分野から始まって、文学、絵画、建造物、彫刻、映画、仏像や陶磁器などのもの、そして、能楽や茶道、香道、華道などの芸、祭りや儀式、わび・さびなどの感性、（情感）、さらには熱しやすく冷めやすいなどのある種の「空気感」などまで実に様々である。しかし、ここでは世界遺産に登録された文化遺産という観点から、「法的・制度的」に確認された「文化」という点から出発することにしよう。

なお、このような「法的・制度的」に定義された文化を見るということは、そこで文化と認定されると、その維持・保存あるいは活用などについて、何らかのバックアップがあるということである。世界遺産については、資産の存在するそれぞれの国内において、当該資産を維持・保存するための法的な保護等があること、逆に言うと、国や自治体だけでなくコミュニティを含めた維持・保存体制がないと登録されないということである。これは将来の文化を考える場合の重要なヒントになる。

日本の文化財は、「文化財保護法」（一九五〇年）の第一章第二条（文化財の定義）によれば、次のようになる（第二条一項より要約）。

一　有形文化財（建造物、絵画、彫刻、工芸品、書跡、典籍、古文書、考古資料、歴史資料など）
二　無形文化財（演劇、音楽、工芸技術など）
三　民俗文化財（衣食住、生業、信仰、年中行事、風俗慣習、民俗芸能、民俗技術など）
四　記念物（貝づか・古墳・都城跡・城跡・旧宅ほかの遺跡、庭園・橋梁・渓谷・海浜・山岳ほかの名勝地、動物とその生息地、植物とその自生地、地質鉱物など）
五　文化的景観
六　伝統的建造物群

以上のうち、歴史上または芸術上、学術上など「価値」が高いものを「文化」という。

一方、世界遺産は、「世界の文化遺産及び自然遺産の保護に関する条約」（一九七二年採択、一九七五年発効）に基づいて登録された、文化財、景観、自然など、人類が共有すべき「顕著な普遍的価値」*をもつ、移動が不可能な不動産が対象となっており、具体的には、第一条によって、次のように定義されている（第一条より要約）。

記念工作物（建築物、彫刻及び絵画、考古学的な物件及び構造物、金石文、洞穴住居など）

建造物群

遺跡

これに対して、世界無形文化遺産は、「無形文化遺産の保護に関する条約」(二〇〇三年採択、二〇〇六年発効)に基づいて登録された、民俗文化財、フォークロア、口承伝統などの無形文化財を対象としており、具体的には第二条によって次のように定義されている(第二条第二項より要約)。

a　口承による伝統及び表現

b　芸能

c　社会的慣習、儀式及び祭礼行事

d　自然及び万物に関する知識及び慣習

e　伝統工芸技術

さらに、有形文化財と無形文化財とは、何が同じで、どこが違うのかについて、より掘り下げて解説を加えていこう。なお、日本では保護対象物に「文化財」、世界遺産条約では「遺産」という言葉が用いられているが、ここでは統一して、「文化」として見ていく。

まず、世界遺産は、文化の対象として記念工作物(建築物、記念的意義を有する彫刻および絵画、考古学的な性質の物件及び構造物、金石文、洞穴住居並びにこれらの物件の組み合わせ)、建造物群(独立し又は連続した建造物の群であって、その建築様式、均質性又は景観内の位置)、遺跡(人工の所産(自然と結合したものも含む)および考古学的遺跡を含む区域)であり、いずれも歴史上、芸術上または学術上、普遍的な価値を有するもの（世界遺産条約一条）と定義されている。簡単に言うと「土地や建物の存在」（不動産）が前提となっている。従って、世界遺産と無形文化遺産の違いは、不動産が有るか無いかに収斂される。端的に言えば、例えば一見して原っぱのように見える場所でも、そこに世界的な価値を有するドラマの痕跡が見られる場合には、その場所（不動産）は世界文化遺産の対象となりうる。しかし、どんなに高度な文化であってもそれが不動産と直結していなければ世界文化遺産の対象ではなく、無形文化遺産の対象となる。

これに対し、日本の文化論は、建造物、遺跡、古墳など不動産とかかわるものもあるが、工芸品、古文書、演劇、年中行事、風俗慣習など不動産とは直接かかわりのない文化も一つの法律で規定されている。

歴史的に言えば、ユネスコは保護対象を、有形（不動産）の文化財で出発し、約三〇年後に無形の文化財も保護の対象に加えるというプロセスをたどってきた。これに対し、日本では当初から、有形と無形の文化財を別々にとらえてはいない。文化論一般として言えば、日本が先行し、後に世界遺産が追随した。日本の文化論が世界文化論に大きな影響を与えてきたということができるであろう。

以上は、日本の文化と世界の文化について、法的定義の差異を見たものである。この差異は、文化全体に対する評価やルールあるいは規制や援助などに直接かかわるもので大きな影響力を持つ。しかし、次に見る日本の文化論は、このような法的なルールと異なり、「独自なジャンル」を形成し、日本文化と言えばこちらの方が大きな影響力を持ってきたと言えるであろう。

そこで、次に日本文化論を簡単に見ながら、次の時代の新しい文化論の創造のための土台を考えていくことにしたい。

日本の文化論について

日本文化論は、多くの人々によって論じられてきた。論者によって、またそれぞれの時代によって、実に多様なものとなっている。しかし全体的に言えば、日本文化論の研究は、究極的には「日本」とは何か、そしてさらにそれ以上に「日本人とは何か」ということを考える作業ではないかと思われる。この意味でもここまで見てきた世界遺産の文化は、世界文化の視点から、この作業に刺激を与えるものとして大いに参考にすべきことは言うまでもないだろう。

この問いについて、日本の世界遺産の観点から言えば、一万五〇〇〇年前の縄文時代から二〇世紀のル・コルビュジエ設計の国立西洋美術館までの資産を通して考えてみるということになるのであるが、それはもう誰が見ても簡単自明のことではないということが明らかである。日本はそもそもその名称の起源、国土としての地理上の範囲、あるいは国家としての主権を持つ統治組織の存在や形態、国民の日常生活にかかわる感性的・情緒的な意味を含む日本、明治維新の憲法制定以来論じられて、第二次大戦によってピークになった「国体」など、論者によって必ずしも統一されているわけではない。また、日本人といっても人類学的なもの、大和、琉球、アイヌの民族的なもの、言語や国籍に関わるものなど、これまた幾通りもの分類や位置づけも可能である。他方、文化についても、先ほど見た文化財保護法の対象や分類とは異なって、日本文化論では「宗教・思想、古典、文学、芸術、絵画や彫刻、建築物そして社会現象」などと極めて広範囲なものが対象となっている。

また日本文化論を見る場合には、それぞれの文化について時代背景というものが欠かせないが、この時代区分についても、通常の原始・古代、中世、近世、近代・現代と言う分類とは別に、当該時代の文化の特徴をとらえて縄文・弥生、古墳、飛鳥・白鳳・天平時代というような分類が使用されることもあり、これも一律にはいかないことも言うまでもない。

ここでは、それらの問いがいかにも難問であることを踏まえたうえで、次のように単純化して進めていきたい。

戦争と近代化

巨視的に見て、日本文化論が、学者など専門家だけでなく、いわば国民を巻き込んで論じられるようになったのは、ペリー来航という外国の圧力によって鎖国が解除され、江戸幕府解体後、近代化政策が採用された明治維新後、そしてもう一つ、第二次大戦による大敗北を喫し、言ってみれば軍国主義から民主主義への転換がはかられた戦後日本の時である。前者は、封建時代から近代に移行するにあたって、日本は今後どうなるべきかについて、外国の思想や文化などが紹介され、鉄道や通信などのインフラだけでなく、食生活から服装まで西欧化が一挙に進む。そのなかで、自らのアイデンティティを確かめるためにも、そもそも日本とはどういう国であったのか、を問われたのも当然と言えよう。後者はもちろん戦争・敗戦によって「天皇＝神」が、「天皇＝象徴」に修正されたように、それこそ日本文化の根本的な転換にかかわるもので、「戦争責任」などを含めて、日本文化の「再検討」が大問題となった【註2】。

日本の伝統

戦後日本の「日本文化論の再検討」（あるいは否定）は、日本の敗戦と「民主主義の誕生」という時代文脈のなかで検討されたのであるが、その後、日本は新憲法のもと、高度経済成長時代を経て、経済に偏りすぎとはいえ、世界でも有数の大国となり、人々の生活も、世界の文化に取り囲まれ、消費されるような時代になってきた。その反動もあるのかもしれないが、最近はあらためて、「日本の伝統」を重視する文化論も目立つようになってきている。それは古代の神話から開始される。尾藤正英の『日本文化の歴史』（岩波新書、二〇〇〇年）は、伝統論の正論とでもいうべきものであり、少し長くなるが論点を強調しながら紹介しておきたい。

「（……）文化とは、さまざまな文化遺産や文化現象そのものを指すのではなく、それらを包括しつつ、歴史的に形成されて来た日本人の生活や思考の様式の全体を、特にそこに現れた民族としての個性ないし特性に注目して考える意味での概念である」

「戦後になると（……）世界史の基本法則に基づいて、日本史の推移を解釈しようとする。普遍主義の歴史観が優勢となり、日本史の固有な伝統といったものには、ほとんど研究者の関心が指向されなかった」

「それに加えて、戦後改革の中で、過去の伝統を『封建的』とみなし、これを廃棄しようとする風潮が生まれて、この面でも歴史と現代との断絶が大きくなった。それにより『近代化』が進展したと言えば言えるであろうが、しかしいかなる近代社会にせよ、それぞれの地域や民衆の伝統に由来する価値の体系ないし価値意識があって、それが人々の間で共有されることにより、その社会の秩序が維持されているのである。もし伝統から断絶すれば、その価値体系は見失われ、社会の秩序は崩壊するであろう」

「（……）叙述の中心が、文化という語から連想されやすい文学や美術・建築あるいは演劇・音楽よりも、宗教や思想の法面に置かれているのは、筆者の能力の限界ということもあるが、そればかりではない。宗教とは、自己ならびに他者の『死』をめぐる思考から生まれたものであり、また、すぐれた思想は、人がいかに生きるべきか、についての解答である（……）宗教や思想は、その生

活者たちの心への通路となりうると考えられる」（『日本文化の歴史』「はじめに」より抜粋、傍線は筆者）

ちなみに、尾藤の言う「伝統」として登場するのは「渡来」、「日本神話　古墳、万葉集と白鴎・天平の文化」、「仏教伝来と法隆寺　大仏造営」、「長岡京から平安京」、「最澄と天台宗　空海と真言宗」、「法然と浄土宗、親鸞と浄土真宗」、「禅宗の伝来と道元、日蓮の宗教思想」、「神社と寺」、「キリシタン禁制と朝鮮出兵」、「儒学の歴史観」、「元禄文化」、「儒学」、「国学と洋学」、「明治維新における公論尊重の理念」であり、最後は「近代における西洋化と伝統文化」の検証で締めくくられる。

尾藤の挙げた人物のほかに、多くの論者が、伝統を重視する視点から、西行の「心」、親鸞の「悪」、長明と兼好の「無常」、世阿弥の「花　能と禅の交わり」、芭蕉の「風雅　わび・さびと自然」などの人物や業績などを挙げている。

日本にはまず、日本固有の基層文化（神話あるいは神道の世界）がある。これをもとに古事記や日本書紀あるいは万葉集といった日本文化論の世界が築き上げられ、やがて、中国と韓国などとの交流が広まる。漢字、仏教（儒教も）という文化の根本となるツールや思想、そしてこれと一体となる寺院や仏像といった芸術が生まれ、ひいては文化は藤原京、平城京、平安京といった都市の建設へと発展する。また、このような都市建設といった巨大な物の創造は、天皇制や律令制といった政治システムとともにあったということも肝に銘じておかなければならない。古代文化が生み出した天皇制はいわば日本文化の頂点にあり、これが「象徴」という形で、現在まで継続しているのである。

異論と方法論

しかし、このような文化論に対して、強烈な異論を唱える論もある。それは文化とは単なる好みではなく、社会を動かすものでなければならないという強固な確信から発せられた。

梅原猛『日本文化論』（講談社学術文庫、一九七六年）は、このような双方の文化論に対して、例えば鴨長明の『方丈記』や吉田兼好『徒然草』を素材にしながら、それ自体は面白いが、決して歴史を動かすような人物ではないと言う。もっと高い理想と情熱を持ち、かつ日本の文化に圧倒的な影響を与えた人物として「親鸞と道元」「日蓮と空海」を挙げ、これこそ日本文化の創造者であり体現者ではないか、としたのであり、返す刀で、「仏教」の文化に対する影響を必ずしも重視しない、近代化論者に対しても、異議申し立てをしたのであった。

なおこのほか、「おもかげ・うつろい」というキーワードを「方法」にして、日本の文化を読み解いていく松岡正剛『日本という方法』（ＮＨＫブックス、二〇〇六年）も、従来の文化論とは異質なもの、独自なものとして注目に値すると言えよう。

これが、私の見た日本文化論の概観である。

「物」と「心」の文化論

最後に、この日本文化論をどう見たらよいか。もう一度世界遺産の文化的側面からその比較を行っておきたい。

世界遺産は、文化の対象はあくまで「不動産」であり、その不動産は、周知のように「完全」（普遍的価値を証明するために必要な要素がすべて含まれていること）で、「真正」（本物であること。文化遺産は歴史的・芸術的に本物であること。自然遺産は、手つかずで自然であること）でなければばならない。さらにその特色を挙げておくと、文化の「価値」について文化遺産と自然遺産の双方に「一〇の評価基準」を定め、その評価基準が明確になっていて、これに基づいて、専門家（文化の場合イコモス*、自然の場合ＩＵＣＮ*）によってその普遍的価値が審査され、最終的には「世界遺産委員会」（各国の代表）によって決定される、ということである。

日本の場合は、その対象は必ずしも不動産だけには限定されず、絵画、彫刻、さらには歌舞伎などの現在も生きていて、かつ無限に変容されていく無形遺産も、文化とされていることも先に見た。その評価について世界遺産のような評価基準は示されていないが、しかし、専門家による審議会などで厳重に審査される。すなわち文化の審査にかかわる専門性とデュー・プロセスが確保されていると言ってよいであろう。

一方、日本文化論はそれらとは全く別な次元にある。日本文化論は一般的には思想・宗教だけでなく、絵画、その他の芸術さらには「社会現象」なども広く「文化」としてとらえてきた。ただそれらを論じる場合に、主として「物」そのものというよりは、それを生み出した「心」が主となっているという点に特色がある、と言ってよいのではないか。例えば仏教は、日本の文化を語る場合、もろもろの意味で、大きなテーマであることは言うまでもない。日本文化論では、聖徳太子、最澄、空海、法然、日蓮、親鸞、道元は、どの教科書にも出てくる最重要人物であり、それぞれの「宗教」についても、その時代背景をいれて、詳細に論じられる。しかし、彼らの思想・信仰をシンボライズする法隆寺、比叡山と高野山、あるいは禅寺などの寺院や仏像、庭園、さらには寺内町などについては、和辻哲郎『古寺巡礼』（岩波文庫、一九七九年）のように思想とともに、仏像などの「物」に切り込んだ作品もあるが、ほとんどが語られることなく、和辻が言うように「人物論が中心」になっている。

これまでの日本文化論は「心の文化」を主としてきたためか、時代ごとの「憲法」を頂点とする様々な制度、あるいは産業遺産などのように「心」よりは技術が重視される世界は敬遠されるか、あるいはそもそもそれらは心の世界とは別なものであり、文化対象としては見ない、というような傾向があるようである。

さらに「心の文化」について言うと、「心」は、難解な仏教などの教典から、「わび・さび」というような感性まで多様であり、それらは、それぞれが日本の文化のある一面での典型的な事象であることは疑いない。しかし文化という概念を個人や小さな集団の占有物ではなく、広く社会一般の共有されるべきもの（共有されたもの）と考えると、その一点で時代の特徴全体を語れるのかどうか疑問がないわけではない。『源氏物語』、『平家物語』あるいは西行の和歌など、平安時代の文学は「もののあわれ」を表す日本の代表的な文化と言われているが、他方、それと同時に存在していた平泉の金色堂は、戦争の惨禍に対する深い悔恨という部分では共通性はあるが、「もののあわれ」とはほとんど両立できない。平泉の金色堂を含む「浄土伽藍」の建設は、「物」によってその時代の戦争と平和と語る文化である。つまりほぼ同一時代の産物でありながら、これを同時的に包括する文化論については語られることが少ない。これも日本文化論の特徴なのかもしれない。

しかし、最近は「心の文化」に近い「無形遺産」が日本だけでなく、世界遺産の文化にも取り入れられ、ようやく全世界的に「心と物」が分離されるものではなく、接近し始めた、あるいは一体となるべきであるという文化論が広く認知されるようになってきた。このような文脈で言えば日本文化論も、物の世界に注目すべきであり、他方、世界の無形文化も、心の文化への、より関心を持つべき時代が来たということであろう。

江戸時代、日本は幕府の鎖国政策によって国際交流はオランダなどの一部を除いて、ほとんど途絶える。文化論から見るとこの時代の最大の特色は、二六〇年間も「戦争がない」という時代であったということであろう。

平和は文化を生み出す。姫路城や日光東照宮といった建造物に加えて、歌舞伎、相撲、落語、小説、花見のような娯楽、寿司と天ぷらといった食べ物、そして浮世絵という日本独特の絵画芸術などがそれである。特に天才葛飾北斎の浮世絵は当時のフランスの印象画に対して大きな影響を与えたことは、日本文化の世界発信として強調されるべきであろう。また、この平和は「藩校・寺子屋そして塾」に見られる世界でも有数の教育水準によって支えられた。なお、この教育の成果が、後に明治維新後の富岡製糸場や明治日本の産業革命として花開いたことも覚えておきたい。

平泉市の毛越寺。浄土庭園と平安時代の伽藍遺構がほぼ完全な状態で残る

閑谷学校（備前市）は江戸前期に岡山藩が庶民のために開いた学校。講堂は国宝。　写真協力：教育遺産世界遺産登録推進協議会

そして明治維新による鎖国解放後の西欧の影響（近代主義）は、封建制の打破と近代国家の形成という、日本史上かつてない「時代転換」をもたらした。文明開化は日本の文化にも決定的な影響を与えたのである。

第二章　文化の構造化

価値のピラミッド

近時のグローバル化の進展は人や物、情報の交流といった分野だけでなく「文化論」そのものについても、大きな変容を迫る。

これは、文化とは、その有する価値について、純粋に科学的な「序列」（他から影響を受けない）というものがありうるか、また今後も維持されなければならないかという本質的な論点がかかわる。

文化とはそれぞれの人々、地域あるいは国にとって、各様の個性的な意味・価値があるものであり、ことの本質から多様なもの、つまり「質」が異なっていることこそ本質であり、序列は文化の本質に対する反逆である、という考え方である。これはかなり説得力がある。またこのような考え方は文化について、定義の仕方がとても困難だということとも関連している。

例えば「美しい」という概念は文化のなかでも大きな位置を占める。文学、絵画、音楽、彫刻、仏像や建築物などは、この「美」に向けてのあらゆる努力（神への奉仕）によって創造されてきた。では「美」とは何か。これを定義することはとても難しい。アメリカの建築家クリストファー・アレグザンダーは、良い町、悪い町、健康な人と病人というように、美しいものとそうでないものは明確に分類することができると説いた。またアレグザンダーによれば、美は、「生き生きとしている」、「全一的――山に立つ木は強風に倒れないように、根を張り枝や幹をしならせてバランスを保つ」、「居心地がよい」、「とらわれない」、「正確な」、「無我」、「永遠」などの特性を持っていることはわかっている。しかし、それを一言で定義することは難しい。その意味で彼は、「美」を「名づけられない質」と呼んだ【註3】。

また美の一つの表現である「景観」について、日本の最高裁判所は、東京都国立市のマンション建設をめぐる紛争について「ある行為が良好な景観の恵沢を享受する利益に対する違法な侵害に当たるといえるためには、少なくとも、その侵害行為が、刑罰法規や行政法規の規制に違反するものであったり、公序良俗違反や権利の濫用に該当するものであるなど、侵害行為の態様や程度の面において社会的に容認された行為としての相当性を欠くことが求められる」(二〇〇六年三月三〇日)として、美しい景観を積極的定義することなく、社会に混乱を与えるときにのみ違法とされるという判断を示し、国立の高層マンションはこのような条件に合致しないとして、住民側の「景観の権利」を排斥した。

日本では国民の多くは「美は主観的なものである」、つまり何を美しいとするかは人それぞれであると考えるようになっている。そのような風潮のためか、美の序列化など論外であり、美しいものの保存などについてもほとんど無関心であった。その結果戦後の高度経済成長のなかの「開発」優先の名で多くの文化財が破壊されてきた。

日本の文化財保護法では、文部科学大臣は、有形文化財のうち重要なものを「重要文化財」に、さらに重要文化財のうち、世界文化の見地から価値の高く、たぐいない国民の宝たるものを国宝に指定するとしている。なお、有形文化財については、国が指定する文化財以外にも、都道府県あるいは市町村でも「条例」によってそれぞれ指定することができるとしている。

先ほども少し触れたように、国や自治体が、文化財について何らかの「指定」を行うことは、指定された文化財についてはそのランキングに応じて、法的な保護や財政やその他の援助を与えるということであり、そうでない文化財との間には明確な「差別」があるということである。これは文化財について人それぞれによるというような主観的なものではなく、序列が「客観的」に認定でき、国宝から市町村文化財までいってみれば「文化の価値のピラミッド」を形成することが可能だということである。

心の部分が大きい「無形文化財」には、このような区分はないが「我が国の芸能や工芸技術の変遷を知るうえで重要であり、記録作成や公開などを行う必要がある文化財」については「記録作成等の措置を講ずべき無形文化財」としている。これもピラミッド型の一種と見てもよいだろう。

世界遺産も、申請された遺産に対して、記載、情報照会、記載延期そして不記載という対応があることからもわかるように、ここにも明確なランキングがある。

さらに、この日本の文化と世界の文化の関係についていうと、日本では、世界遺産が最上位にあり、次いで日本文化が続く。言ってみれば、国宝の上にさらに世界遺産があるとみる人が多いようである(実際登録された日本文化のなかには、国宝ではなく、重要文化財でも登録されているものもあり、このような構造はすべてに適用されているというわけではない)。

このような本来、序列化などとは無縁なはずの文化に対して、序列化が許されるのは、それが専門的な知見のもと、公正な手続の下で審査され、外部からの影響に対して、独立性が保証されるということが条件となる。

しかし、最近はこのような専門性、適正手続き、独立性に疑問がもたれるようになってきている。世界遺産で言えば、最近イコモスの判断と「世界遺産委員会」での判断が分かれるという現象が目立つようになってきた。また日本でも、長崎「隠れキリシタン」と「明治の産業遺産」の優先順位の決め方、「佐渡島の金山」に関する政府の当初の延期方針が政治的圧力によって覆される事態などを見ると、文化に対する「政治の影響」がかなり大きくなっていることは事実である。

文化は人類の質的な充実に寄与し、それ自体、貴重なものであり維持・保存されなければならない。しかし文化の役割はそれだけにとどまらない。ユネスコの世界遺産は、そのような人類の質的向上だけでなく、文化を維持や保存することは、間接的に戦争を抑止ないし防止するという明確な理念と目標を持つ。もちろん文化の破壊は戦争だけでなく、自然や人為的な災害によっても発生するので、それらの未然防止に寄与することも言うまでもない。文化の多様性という本質論によって、個別の文化とランク付けをタブー化するということは、言い換えれば、すべての文化を守れというものである。これだけではいかにも抽象的で、具体的な戦争や災害の抑止ないし防止に寄与することができない。平和の構築という目標は、世界・日本を問わず、人類の共通の課題である。序列化はいわば多様性のさらに上位にあって平和に寄与するものとして承認されるべきものであろう。また、これはこのような平和への道という崇高な理念と比べると、やや角度は異なるが、周知のように世界遺産あるいは国宝や重要文化財は、「観光」の観点から絶えず問題にされる。「観光」は度を越した利用と連動し、文化の堕落などと批判されることがある。しかし観光は文化の価値を広く内外に知らしめ、かつ文化の保持者に経済的利益ももたらし、当該文化の維持･保存に役立つ。また、観光の向上のための地域の様々な取り組みは、景観の整備一つをとってもわかるように文化の価値を内外に改めて認識させ魅力をより引き立てるとともに、サービスの向上を含めたいろいろな行動は、地域のコミュニティの形成と強化にとっても不可欠である。各地・各国での世界遺産や文化財登録を目指す観光を目的にした登録競争も、否定的な側面だけでないことを確認しておきたい。

文化に対する特に政治的な干渉、観光目的の過剰な対応、自治体間の駆け引きや競争はもちろん賛成できない。しかしその監視は国民の義務でもあり、文化の維持・保存は最も本質的な意味でこのような文化に対する国民参加を要求しているのだと考えたいのである。

物とストーリー

ユネスコで世界遺産条約が締結してから半世紀が経ち、文化遺産の登録数もすでに一〇〇〇件を超えた。では今後、どのような価値を持つ文化財が登録の対象となっていくのだろうか。五〇年を経た現在、この点についても分岐にあると言えるだろう。例えば、ピラミッドや万里の長城、タージマハルなど、誰が見ても世界遺産にふさわしいと感じられる、圧倒的な文化財は少なくなってきた。その結果、不動産が単独で表現する文化財ではなく、それにプラスして、その土地で繰り広げられてきた「ストーリー」を合わせて、その土地が世界的に見て普遍的価値があるかどうかを検討する傾向になってきている。

例えば、「明治日本の産業遺産」は、日本の明治時代の製鉄・製鋼、造船、石炭産業にかかわる資産が対象となった。具体的には炭鉱、造船所、反射炉、疎水溝、製鉄所などであり、しかもその所在地は九州五県、山口県、岩手県、静岡県の全国八県一一市に点在している。これをバラバラに見たら、誰しもなぜこれらが世界遺産なのか不思議に思うであろう。

しかし、これら全部を集め「シリアル・プロパティ」*として、その技術や果たした役割などを概観し、「明治期先進諸国から積極的に技術移転し日本の近代化を促進した」[評価基準(ⅱ)]、「西洋以外でわずか五〇年間という短い期間で飛躍的な経済発展をもたらした」[評価基準(ⅳ)]というように語られると、その画期的な意義に、誰しもが納得する。さらにこれを世界的な視点で、他の国・地域の同じ産業遺産と比較してみると、圧倒的な日本の技術の向上や、それが日本の近代化に貢献した役割が見えてくる。炭鉱や造船所や製鉄所が、新しい日本の原動力となって、近代日本の文化を創造していく「ストーリー」が浮き彫りになるのである。

またもう一つの例として、縄文遺跡について見よう。実は日本では北海道から沖縄まで縄文遺跡はほぼ全国に広がり、おおよそ九万か所もある。これもその一つ一つには、圧倒的な価値は見いだせない。ストーリー化にあたって、北海道や青森などの一七遺跡が選ばれた。それはこの一七か所に、縄文時代の創成期から晩期までの特色を示す証拠がすべて揃っているからであり、それは「現存するまたは消滅した文化的伝統または文明の唯一のまたは少なくとも稀な証拠」[評価基準(iii)と(v)]」を満たすものであった。

こうして世界遺産の分野では、いまや物の価値もストーリーなくして語れなくなりつつある。これは大きく言えば有形遺産である世界遺産が、ストーリーを媒介として、無形遺産と「融合」しつつあること、また、日本の視点から言えば、当初より有形遺産と無形遺産を一体として扱ってきた日本の文化が、先輩として世界遺産の文化論に対して今後もインパクトを与えていく可能性があることを示していると言えるのではないか。

このような世界的な傾向も意識してか日本では、従来の文化論にプラスして、新たに文化財保護法とは別に「日本遺産」(二〇一五年)を創設した。ストーリー化という意味と世界遺産をよりレベルアップするために、この日本遺産について少し説明をしておきたい。

問題意識は「我が国の文化財や伝統文化を通じた地域の活性化を図るためには、その歴史的経緯や、地域の風土に根ざした世代を超えて受け継がれている伝承、風習などを踏まえたストーリーの下に有形・無形の文化財をパッケージ化し、これらの活用を図る中で、情報発信や人材育成・伝承、環境整備などの取組を効果的に進めていくことが必要」（文化庁「日本遺産ポータルサイト」）というものだ。文化財保護法の文化が「個々の遺産」を「点」として見るのに対し、日本遺産は点在する遺産を「面」として確保し活用しようとするものである。この個々の資産を面として結ぶのが「ストーリー」である。

世界遺産のストーリー化が、明治産業遺産や縄文遺跡で見たように、同じ種類（各種産業、各地の縄文遺跡）の文化をつなげる構図となっているのに対し、日本遺産のそれは個々の資産、しかも必ずしも同じ種類のものではない資産を包括的なストーリーでつなぐという点で、世界遺産の守備範囲を超えていると言ってよいだろう。この拡大は、地域あるいは時代の特徴を丸ごと見るという意味で、これまでの個別文化を個別時間と個別空間だけで見るという方法（それによる歪みを含めて）を止揚する新たな文化論を提示するものなのかもしれない。

もっとも、このストーリー化は大きな成果を生み出すという利点だけでなく、ある種の窮屈さを生み出す場合もある。その例が「有形・無形」のハイブリッドな文化を示す事例とされた「長崎と天草地方の潜伏キリシタン関連遺産」である。

ここでは、「禁教下におけるキリシタンの大規模蜂起、島原天草の一揆がおきた一六三七年から長い潜伏時代を経て、一八六五年の外国人居留地に建てられた大浦天主堂での信徒発見までの二〇〇年以上にわたる劇的な信仰復活を物語る一二の資産」として登録された。

長崎市、平戸市や五島列島の周辺を歩くと、大工の鉄川与助（一八七九〜一九七六年）が手掛けた木造や煉瓦の手作りで瀟洒な小さい教会を見かける（平戸市の山田教会、田平天主堂、五島列島の旧野首教会、堂崎天主堂、楠原教会など、多くが国の重要文化財や長崎県の指定有形文化財になっている）。これらは、いかにも「隠れキリシタン」を想起させる教会にふさわしく、ヨーロッパの堂々たる圧倒的な権威を誇る教会とはまさしく好対照の質素で素朴なものであり、それこそ「隠れキリシタンの文化」の「普遍的価値」を体現する物証である。しかしここでのストーリーは「一六三七年から一八六五年までの二〇〇年以上」となっており、鉄川与助が教会建築を開始した五島の冷水教会（木造、一九〇七年）をはじめ、ほとんどが一八六五年以降のものであった。その結果、鉄川の教会建築は登録資産から外された。代わりに、「潜伏キリシタン遺産」として、「浦上天主堂や原城跡」と「潜伏キリシタンの生活を支えた集落」が登録された。しかし、天主堂などはともかく、集落はかって潜伏キリシタンが生活した価値ある場所だと特別に説明されないかぎり、ほとんど誰も気づかない。また、これら集落は人口が減少し、潜伏キリシタンが伝えてきた

長崎県五島列島の野崎島にある旧野首教会。鉄川与助が1908年に設計・施工

熊本県天草市の﨑津集落。羊角湾に面した潜伏キリシタンの里

伝統、信仰あるいは習俗なども、いずれ消えていく運命にある。世界遺産への登録は、「名誉」を得る一方で、「維持・保全」を義務付けるものである。この集落では誰がどのようにして維持・保存していくのであろうか。

これは、ストーリーの作り方によって、せっかくの鉄川与助の建築のような優れた文化が除外され、他方で文化が放置されていくという不条理な現実を生み出すことを教えているのである。

文化と自然の一体化

あらためて日本文化が世界遺産に影響を与えた事実を確認したい。世界遺産は、戦後、自然遺産と文化遺産とで別々に保護運動が起こり、一九七二年の「世界の文化遺産および自然遺産の保護に関する条約（世界遺産条約）で一本化されたが、その後も別々の組織で推薦・登録が決められてきた。しかし文化はそれをどのように定義しようと、人々をめぐる自然や時代というファクターの影響を無視しては生まれ得ず、語りえない。

今後いかにグローバル化やデジタル化が進んでも、食べ物が自然の産物であり、気候は、人間生活に対して重大かつ深刻な関係を持つものであり、これは永久に変わることはない。春夏秋冬の四季があり、豊かな自然環境に恵まれた日本では、古来「山川草木悉皆成仏」という思想が継受されてきている。これは、山や森、そして川や海という自然界、草や木そして石にも、人間と同じようにすべて命があり、人間は人間と同様に命を持つ自然界との交流によって誕生し存続してきた。双方を分離することができないという意である。『涅槃経』で説かれるこの言葉は、仏教が生まれたインドにもなく、中国仏教には見出されるが、日本には空海によってもたらされ、普及したとされる。「自然界には神が宿る」という考え方は、西欧など人と自然を厳しく分離する哲学に対し、東洋哲学と呼ばれるようになった。日本の文化は総じてこのような東洋哲学のなかにある。

周知のように、文化と自然を厳格に分離する世界遺産の思想は西欧哲学の下にある。この西欧哲学と東洋哲学の相違と融合が真正面から取り上げられたのが、日本での最初の登録遺産となった「法隆寺」に関わってのことであった。

世界遺産の登録要件は、その普遍的価値が「完全性」と「真正性」を備えていなければならない。これは対象遺産が、創造時と同じように、全体としてそのまま保全されなければならないと解釈されてきた。そして西洋の「石の文化」は、ほぼ創作時と同じような形態を保つことができた。またそれは人間が、素材は自然の産物であるが、どちらかと言えばそれをそのまま維持するというよりは、自然に対抗するかのようにして作り上げてきた文化であった。しかし東洋では、建造物は木、泥、草などでつくられてきている。これらを素材とする建造物は石と異なって絶えず修繕しなければ維持できない。世界最古の木造建築物といわれる法隆寺も、創建当時のまま残っている部分はごくわずかで、現存しているものは長年の修繕の賜物である。その修繕は、日本人なら誰でも知っているように、宮大工といわれる伝統技術に習熟する棟梁によって、材料はもちろん、デザインも当時のままに、その修繕も創建時の技術と同じ道具と方法で行うというかたちで、「千数百年という長い期間」にわたって継続されてきたのである。この維持保存方法を紹介しながら法隆寺は立派に世界遺産に言うところの「真正性」を備えているというのが日本の主張であった。

一九九四年、奈良で開かれた「真正性に関する奈良会議」において採択された「奈良文書」*には、「遺産の保存は地理や気候、環境などの自然条件と、文化・歴史的背景などとの関係のなかですべきである」と記された。つまり、その後修理などが加えられたとしても保存技術や修復方法が同じであれば真正性は担保される、というのである。

こうして人間と自然は一体であるという東洋哲学が認知され、後にこれは「真正性」の解釈だけでなく、「文化的景観」、すなわち文化と自然が一体となって創り上げた文化として世界遺産のなかに一つの新しい分野を築くことになっていくのである。

第三章　日本文化の世界遺産登録

文化論の対象の拡大

日本の文化は世界遺産に対して大きな影響を与え、逆に世界遺産も日本文化に大きな影響を与えている。それはどのようなものか具体的に検討していこう。

日本の文化遺産で登録されたものを分類・整理すると次のようになる。

遺跡　北海道・北関東の縄文遺跡群、平泉—仏国土（浄土）を表す建築・庭園及び考古学的遺跡群

島　「神宿る島」宗像・沖ノ島と関連遺産群

墓　古墳、（平泉の金色堂も）

寺　法隆寺地域の仏教建築物、古都奈良の文化財、古都京都の文化財、平泉—仏国土（浄土）を表す建築・造園及び考古学的遺跡群

教会　長崎と天草地方の潜伏キリシタン関連遺産

神社　厳島神社、日光の社寺

城　姫路城、琉球王国のグスク及び関連遺産群

道　紀伊山地の霊場と参詣道

建築　白川郷・五箇山の合掌造り集落、国立西洋美術館（ル・コルビュジエの建築作品）、原爆ドーム
産業　富岡製糸場と絹産業遺産群、明治日本の産業遺産
銀山　石見銀山遺跡とその文化的景観
山　富士山─信仰の対象と芸術の源泉

これらを見ながらまず指摘しなければならないのは、世界遺産と連動する文化財保護法の文化は別にして、日本文化論は、「心の文化」と総括したように「人物とその業績」が多く、それに関連して物に言及されることはあるが、即物的に「ものそれ自体」に即して文化を語ることはほとんどなかったということである。縄文、島、古墳群、道、建築の原爆ドーム、そして産業遺産を見てみよう。言うまでもなく、これらの個別分野については、文化や芸術的視点、あるいは歴史的、学問的な意味や価値だけでなく、政治や観光、維持・保存と記念館などの建設や論争などを含めて、専門家や役所といった人々だけでなく、広く国民的にも大いに論議され強い関心を呼んできたことは言うまでもない。けれども、日本文化論の通史、総論として、これらをどう位置づけ評価してきたかという視点で検証すると、一般的に言えばそもそも、触れられないか触れても事実そのものを挙げるだけで、その文化的意味について掘り下げるというような深い探求はあまり見られないようである。

逆に言うと、これらの通史・総論上ではマイナーな資産にすぎないものが世界的に普遍的価値を持つものとして登録されたという事実は、広く日本文化を再考してみるきっかけになるかもしれない。これはある意味で日本文化論に対する世界遺産登録の最もダイレクトな効果ではないか。

では、それぞれの個別資産が教える日本の特質とは何か。いくつか例を挙げて考えてみよう。

世界遺産登録が教える日本文化の特質

島

日本において、「島」という地域は（その定義いかんにもよるが）かなり多数に上る。世界文化遺産に登録された「宗像・沖ノ島」の沖ノ島は、九州本土から約六〇キロ離れた、周囲約四キロメートルの小さな孤島である。ここは宗像大社の私有地であり、原始の森の中に、宗像三女神の一人を祀る沖津宮があり、四世紀ごろから約五〇〇年以上にわたって崇敬を集めてきた。島全体が宗像神社沖津宮の御神体であり、今でも女人禁制の伝統を守っている。男性も上陸は厳しく制限されており、一木一草一石すら持ち出してはいけないとされてきた。また、大和政権と朝鮮半島を結ぶ拠点となっていて、海の航海の安全を祈る場所であり、交易の拠点でもあった。島には約八万点の国宝があり、当初露天で行われてきた祭祀が徐々に社殿を持つ信仰の島になっていった証拠が残されている。古の姿がタイムカプセルのようにして残されている島と言ってもよいだろう。

沖ノ島には従来の世界遺産のイメージ、すなわち「美しい」とか「壮大・華麗」といったようなものは何もない。宗像神社沖津宮も木造の実に質素なものである。八万点の国宝というものも、金具や壺あるいはガラス製の小玉といったごく小さなものばかりで、一目しただけでは、とても「世界遺産」とは思えず、「古の姿に関する骨太のストーリー」なしには世界遺産と見ることは難しかったのではないか。

沖ノ島だけでなく、日本には文化遺産ではなく、自然遺産として世界遺産に登録された屋久島と小笠原諸島がある。また厳密に島と言えるかは別にして、沖縄には「グスク」という文化遺産と「やんばるの森」という自然遺産の双方が登録されている。沖縄という小さな島で、文化と自然の二つの世界遺産が登録されたというのは世界でも極めて珍しい事例だろう。

これを見ると、古代から現代まで、島にはそれぞれ世界に誇る質の高い独自の文化がある。それらを「島の文化論」全体として見ることによって、日本独自の文化を証明することはできないだろうか。かつて、柳田国男や折口信夫は民俗学の視点から「沖縄の文化」を発見した。画家・彫刻家でありまた文筆家でもあった岡本太郎は、その独特な視点から、「縄文の土偶」に生命の力を見た一方、沖縄の「御嶽」の「無の空間」を見て、日本文化の「神秘」を証明した。これら先人の確かな目と努力が、縄文文化や沖縄の文化・自然遺産と結びついたことを知っておかなければならない。

宗像大社（福岡県宗像市）の社殿

沖縄県に残るグスク（城）の遺構

現在日本では、仕事や教育機会を求めて島を出る人が多く、漁業などの生業も高齢者が増え後継者が少なくなり、多くの島で過疎化が進んでいる。しかし、日本の文化の未来に関連して言うと、ＩＴ技術の発達によって、少なくとも情報交流のレベルでは島はもう孤立とは無縁になる。むしろ「海に囲まれている」という独自の地形や気候的条件や、物理的な交流が不便であるという特徴によって、かえって陸続きの世界にはない新しい文化を創出できる可能性もある。島の世界遺産登録は島の未来を教えてくれているのではないか。

墓・古墳群

専門的な研究や紹介は山ほどあるが、これを「文化論総体」として語る場合、どう位置づけるかはなかなか難しいし、また知的興味心をそそる。日本の古墳には、その大きさで、エジプトのピラミッドや秦の始皇帝の墓を上回るものがある。また、前方後円墳は極めて独特な形状である。その数も一説に東北を北限として全国二〇万ともいわれるほど多い。膨大な数の埴輪の形も縄文期の土偶などと同様に、世界に例を見ない独特なものである。

古墳時代（およそ三世紀後半から約四〇〇年間）、特にその前期はとびぬけた中央集権的な権力者は存在せず、人々は、それぞれの豪族と呼ばれる権力者を中心に各地域、ばらばらに生活していたと言われている。

縄文時代、東北と、新潟や長野との間に「交流」（物資の交換や栗などの栽培技術の伝達）があったことはすでに知られている。古墳時代はそれから数世紀経過した時代を指すのであるが、縄文や弥生時代を経て、交流や伝達のなか、最も中核的な道具である言葉、あるいは物々交換する場合の価値の比較、交換のための物的な手段である道路や海路などの整備状況、さらには古墳製造職人というべき人々の移動と生活方法、さらには当該古墳の施主である豪族たちや地域の受け入れ状況などはどのように変化したか、実際それらはどのような状態となったのか、またなぜそのように進展していったのか、いまだ完全に解明されたとは言い難い。

豪族の大君が「天皇」になったのは弥生時代をすぎて「大和政権」になってからであった。大和政権は中国・唐の「律令体制」を採用し、中央集権的な「国家」を形成した。道路も整備され、戸籍や「租庸調」によって人民を支配した。その支配もほぼ全国(北海道や東北は除く)に及ぶようになる。仏教は国家的な宗教となり、「国分寺の建立」に見られるようにそれは地方にも及んだ。

古墳時代はこの縄文・弥生時代と大和政権誕生の「間」になる。どの時代にも、誰かが権力を握るためには、人々が食べていくことができる状態の確保が不可欠であり、また権力者は敵の侵入を防ぎ、災害など危険から人々を守らなければならない。しかし、この時代は、それらはいかにも不十分であった。農業技術は未発達であり、河川などの氾濫による災害防止といった、人々の生存や安全・安心の確保が不十分ななか、土や石の搬入と築造という膨大なエネルギーを必要とする巨大古墳がなぜ築造可能だったのか。

そしてまた、このような古墳がなぜ全国に波及していったのか。

このような疑問や好奇心は、冒頭に記した文化論の根源である、「日本とは何か」「日本人とは何か」という問いに対する従来とは異なる視点からの答えの準備と、連動していくのではないか。日本文化論は古墳そのものには触れるがそれを生み出した社会構造に深入りしていない。古墳の世界遺産登録は当時の社会がいかなるものであったのか、研究の進展を促しているのではないか。

道

道はもちろん人々の交通手段としても、また文化交流や物流にとっても、極めて重要なインフラである。また交通という機能だけではなく、古代から今日までそれは、地域や社会の状態と反応しながら様々な文化を創り出してきた。日本の国民的作家である司馬遼太郎が、『街道をゆく』シリーズで、「道」の歴史的な意味や、そこで繰り広げられてきた人々の暮らしや生産の技術、戦争や災害への対応など、人間ドラマを生き生きと活写したことはよく知られている。さらに司馬の探求心は日本にとどまらず外国にも向かった。シリーズ全四三巻のうち、一三巻はアジア（韓国、モンゴル、中国、台湾）、ヨーロッパ（アイルランド、オランダなど）、アメリカ（ニューヨーク）と、日本とはまた全く異なる道の文化を伝えてくれた。

また、誰でも「シルクロード」という言葉を聞けば、広大な砂漠、オアシスとラクダ、莫高窟、市場など、すぐその情景を描き出すことができる。日本でも「東海道」と聞けば歌川広重の「東海道五十三次」を思い浮かべるだろう。現代人なら東海道新幹線かもしれない。また「すべての道はローマに通ず」という格言もほとんどの人が知っている。

では、古の昔から現代に至るまで、それこそ無数にある道のなかから、どのような基準で、世界遺産における「文化の道」は選ばれるのであろうか。

道そのものが世界遺産として登録されたのは、日本の「紀伊山地の霊場と参詣道」と、スペインの「サンティアゴ・デ・コンポステーラ巡礼道」である（なお、例えばシルクロードなどは全部ではなくその一部が世界遺産に登録されている）。なぜこの二つなのか。

紀伊山地の霊場と参詣道は、人が「歩く」というだけでなく、祈りながら歩く、すなわち「巡礼の道」であった。巡礼とは、人々が聖なるもの（仏や神）を求めて歩く旅のことである。日本ではこの「巡礼」の慣行は古くからあり、巡礼の道は数多い。なかでも世界遺産に登録された紀伊山地の参詣道は、現在でもかなり昔のままの形状を保っていて、鬱蒼とした木立に囲まれた石畳の道を歩いていると、この道は目的地にたどりつくためだけでなく、道自体が「霊感」を帯びており、文化の真髄に触れている感じがする。

日本の文化論を見ると、紀伊山地の霊場（熊野・吉野・高野）の宗教はもちろん、建築物や宗教的儀式については多く取り上げられている。また霊場の一つである高野山について見ると、女性は古来聖地への参詣は禁止されていた。女性は境内周辺の「女人堂」までで行き止まりとされたのである。この道は特別に「女人道」と呼ばれ、今や高野山の名所の一つとなっている。その意味では「文化」そのものなのであるが、しかし道そのものを、国宝や重要文化財を超えるかもしれない「文化財」として見る視点は、世界遺産登録以前は希薄だったのではないか。

日本の文化は「道」に限らず、森、あるいは山そのものについて、自然についても命（ご神体、魂の宿る空間）があると信じて共存してきた歴史と文化があることは先に指摘した。紀伊山地の道は、「人と自然との共生」という、今や世界中が希求する命題について、改めて日本文化の貴重さを見つめなおす大きなきっかけになった。

フランスとスペインを結ぶ「サンティアゴ・デ・コンポステーラ巡礼路」のように、あるいは日本の伊勢参りや富士講などを見ればわかるように、それは聖地を目指してひたすら前に進む旅であった。

しかし日本にはそうではない道の文化もある。スタート地点も、必ずしも確定しているわけでなくどこから出発してもよい。また聖地と聖地を、ぐるぐる回るだけで、「終着」点がない。さらにその歩くルートには左回りも右回りもある、という不思議な巡礼の道、四国遍路である。四国遍路

高野山奥の院に詣る筆者　写真：佐藤弘弥

（世界遺産登録を目指している）は、八八か所の霊場を独特の巡礼姿で旅する道であるが、弘法大師空海の教えなのか、仏教全体の思想の結果（因果応報、輪廻など）なのか、それ以外なのか必ずしも定かではないが、ただひたすら終点を目指すキリスト教の巡礼道とは、完全に異質なものとなっていることに注目すべきであろう。この違いは何に由来するのであろうか。

ちなみに、日本の現代文化論として、日本は世界で最も早く目的地に到達するスピードを持つリニア新幹線と、何十日も、何年も、そして生涯かけて何度も何度も、ただひたすら歩くだけの「道」とが共存する不思議な国であることも、これからの文化論を考えるうえで、興味深いことである。

産業遺産

産業遺産を「文化」としてとらえる見解は、必ずしも当初からあったわけではない。それは一九九四年世界遺産委員会が、文化遺産の偏りを是正するためのグローバル戦略*として、従来、どちらかと言えばヨーロッパの石の建築と文化に偏りがちであった歪みを是正しようという動きのなかから生まれた。先に見た奈良文書による法隆寺の登録が、石の文化と木の文化の融合（普遍的価値の認識にかかわる人間優先の西欧哲学と人間と自然の共生を基本とする東洋哲学の融合）だとすれば、この新しい戦略は、言ってみれば長い歴史を持つ歴史的・芸術的な石造りの建造物を中心とした古典的な文化観に対して、現代的な視点から、「文化」を問い直すという試みであり、産業遺産もその代表的な分野としてノミネートされたのである。

ただもちろん一口に産業遺産と言っても、どのようなものを指すか必ずしも明確ではない。産業遺産誕生の原動力となったＴＩＣＣＩＨ（国際産業遺産保存委員会）が二〇〇三年に採択した「ニジニータギル憲章」では「歴史的、技術的、社会的、建築学的、あるいは科学的価値のある産業文化の遺跡」となっているが、具体的には、産業遺産の概念が生まれる以前のものを含めて見ると、鉱業、製造業（製鉄、製塩、繊維、その他）、農業・食料生産、水利・干拓事業、水産、交通・通信（鉄道、駅舎、運河、橋梁）、商業・交易等が登録されている。

日本では石見銀山（ただし登録当時産業遺産というカテゴリーは存在していない）、富岡製糸工場、そして明治産業遺産が登録された。

産業は言うまでもなく、人間の生活ある所すべてに存在している。またその影響力は、一八世紀イギリスの蒸気機関の発明に始まる産業革命や、今日の二一世紀のIT革命などを見れば明らかなように、単に「技術の発展」というだけでなく、社会の全体の変更をもたらす。さらに大きく人々に対して「時代」を画すほどの決定的な影響を及ぼすのである。

ではこのような産業遺産は、世界遺産の言う「顕著な普遍的価値」、あるいは文化財保護法に言う「歴史上、芸術上、学術上、価値が高い」という価値観とどのように結びつくのであろうか。これは「道」と同様あるいはそれ以上に、判断が極めて難しい。

この疑問を提起するのが、先に第二章の「物とストーリー」で若干触れた明治日本の産業遺産である。そこでここでは産業遺産の普遍的価値の観点からもう少し掘り下げてみたい。

明治産業遺産二三件は、福岡、長崎、佐賀、鹿児島、熊本、山口、岩手、静岡の八県一一市にまたがり、シリアル・プロパティとして登録された。

少し歴史的経過をたどると、一八五三年にペリーが来航し、徳川幕府の鎖国政策の解除を要求したことなどが契機となって、いわゆる薩長同盟による、日本史上およそ最大級とでもいうべき政治的・社会的変革（維新）が起こり、中央集権統一国家と資本主義化の出発点を築いた。明治の産業遺産はこの維新の「物質的土台」となり、さらに日本が明治憲法の制定を定め近代先進国となっていくための原動力となったのである。

経過的に見ると次のようになる。

一八五三年のペリー来航の年、薩摩藩主島津斉彬は、欧米に対抗し、富国強兵、殖産興業のため、「集成館」を創設し、さらに、一時中断の後、製鉄用の反射炉やガラスや陶磁器を製造していく。そして、一八六四年以降、対外的な圧力に対抗するために大砲・鉄砲の製造や、造船を手掛ける（薩摩藩以外にも佐賀藩では反射炉が建設される）ようになった。明治新政府の発足は四年後の一八六八年である。その後、開国進取・富国強兵の国是のもと、これらの産業は製鉄・製鋼、造船、石炭産業に拡大され、一八五〇年から一九一〇年までの約六〇年の間に、他の東アジア諸国における産業とは比較にならないほどの質量の発展を遂げていくのである。

これが明治産業遺産の歴史的・社会的背景の概要であるが、これを「文化」の面から見ていくとどうなるのであろうか。

まず何よりも「産業」を「文化」と言えるかどうかである。日本の文化財保護法では例えば富岡の製糸場の建物は「史跡・重要文化財」となっているが、産業そのものを文化とは見ていない。明治の産業遺産もその意味では文化遺産ではなく、適用法も文化財保護法ではなく、港湾法や景観法となる。

このような法的な定義を措いても、産業を文化と言うことになぜ違和感があるのか。早い話、例えば明治産業遺産においていろいろな意味でシンボルである端島炭鉱（通称軍艦島）を見てみよう。この場所は長崎県五島灘に浮かぶ小島である。現在、この端島で目にするものは廃墟となった高層アパート群（なお世界遺産として登録されたのは、坑口等の生産施設と護岸遺構であり、高層アパートは大正以降の建築である）である。これを見て「文化」（廃墟の美学のようなものは別にして）

と言う人はほとんどいないであろう。次に、明治産業遺産は、同じ産業遺産である石見銀山、富岡製糸場、そして佐渡島金山と異なって、現在でも二三資産のうち八つが稼働している。文化財保護法にいう文化は有形遺産の場合、すべて「保存」を原則とする文化（最近は観光その他の活用が奨励されるようになった）であり、稼働中のそれとはジャンルが異なる。第三に、これは文化かどうかという問題と直接関係するものではないが、例えば釜石の「橋野鉄鉱山」のように、現地には当時の産業の片鱗などほとんど見られない遺産が含まれている。これはともかく、長崎市の「旧グラバー住宅」や萩市の「松下村塾」など、必ずしも産業遺産と直接的な関係を持っているわけではない資産が含まれていることに違和感を持つ人も多い。これはシリアル・ノミネーション＊の結果と言えば結果ではあるが、万人を十分に納得させることになるのであろうか。

このように明治の産業遺産は従来の日本の文化財保護法、またこれまでの日本文化論とはかなり異なっている。異質といってもよい。そのため明治の産業遺産の諸官庁は文化庁ではなく、内閣官房となった。

近代とは、ある意味で人々の生活をより便利に、早く、安全にするために、技術（産業だけでなく科学や医学なども含めて）を発達させた時代であった。

例えば、半世紀前に世界で普及が始まった原子力発電も、化石燃料をもたない国にとっては、安定的な発電が担保され、二酸化炭素も排出しない、夢の発電と言われた。それは二〇世紀の最大級の産業遺産と言ってよい。

これらは人類全体に対して計り知れない便益をもたらしたことは真実である。

しかし、これら産業遺産は同時に、戦争や地球環境の破壊にもつながるものでもあり、またこれまでの文化の原動力であった地域あるいは国の「個性」といったものを消失させ、文化の持つアイデンティティを根こそぎ奪ってしまうというような危険性も有している。

この現実は「文化のアイデンティティ、多様性や多元性」を求めたユネスコの二〇〇一年「文化の多様性に関する宣言」や、そして何よりも「平和」を希求するユネスコの根本精神とどう両立することができるか、世界全体で慎重に考えていくべきテーマであろう。

第四章　日本文化の奥行き

これまで世界遺産に登録された日本の世界遺産から日本文化論を見てきた。しかし個別の文化の比較だけではとらえきれない、もう一つのいわば日本文化のオリジナリティ（奥行きあるいは広がり、深さと言ってもよい）について少しコメントしたい。次のように個別資産を個別資産それ自体としてではなく、かつ時代というような大きな枠組みのなかでワンセットとして見ると、また別な文化も浮かび上がるのではないか、という問題意識である。もちろんこの作業は専門家ではない素人のスケッチ程度のメモであり、しかもほとんど思い付きのようなものであることは十分に自覚しているが、それでも将来の日本の文化をより深く理解していくための素材程度にはなるであろう。

日本文化には世界に例を見ない独自なものがある。世界遺産は、この日本の独自性について、必ずしもストレートにではないが、浮き彫りにして見せてくれた。

城と茶室

姫路城は世界遺産の評価基準（i）と（iv）に該当するとして登録された。その評価を簡単に紹介すると、次のようになる。

評価基準（ⅰ）――天守閣をはじめとする建造物群のデザインには、木造構造の外側を土壁で覆い、その上に白漆喰を施した簡素な素材の外側に、複雑な構造の配置や屋根の重ね方を組み合わせる工夫が見られる。白鷺城の別称が示すように、その美しさは、日本の木造建築のなかでも最高水準に達し、世界的にも類のない傑作である。

評価基準（ⅳ）――天守群を中心に櫓や門、土塀のほか、石垣、濠などがあり、防御にも創意を凝らした日本独自の城郭構成を表す。

この世界的な評価を見るまでもなく姫路城はストーリーなしでも文句なく世界遺産にふさわしい文化である。姫路城だけでなく、今や幻となった織田信長の安土城、豊臣秀吉の大阪城あるいは徳川家康の江戸城なども、姫路城に劣らない文化であり、現存すればこれらももちろん世界遺産級であったであろう。それらはいずれも評価基準（ⅰ）の「美しい」というだけの表現を超えて、豪華絢爛、勇壮であり、当時の建築や工芸の技術の高さ、芸術的な襖絵などおよそ、「文化」というもののすべてを備えその頂点に立つ。また、城はもちろん評価基準（ⅳ）のように防御の砦として築かれただけでなく武家政治の中枢拠点でもあった。

戦国時代、「城取り」という言葉に端的に示されるように、城は破壊、奪還、征服の対象でもあったが、少なくとも江戸時代以降に限れば大きな戦争はなくなり、攻撃防御の機能は徐々に薄れていく。江戸時代、城は全国の二〇〇を超える藩すべてで築かれた。藩は城を中心として城下町を形成した。城下町には、武士だけでなく、町人や商人あるいは様々な技能を持つ職人などが集まり、各地で浮世絵、歌舞伎、落語、花見、相撲などを楽しむルネサンス的都市の様相を呈していく。城は戦の砦から平和のシンボルへと変容したのである。人々は城を我が町のシンボルとして仰ぎ見るようになった。

姫路城の評価は、文化の観点から城の一面に焦点を当てたものであるが、このような城下町（都市計画）や町民文化まで含めれば、城の文化論はより豊穣なものとなるであろう。

他方、茶室は日本人なら誰でも知っているように、この城とは対極にある文化である。その起源は鎌倉時代に禅宗寺院などで茶を振る舞う喫茶のための会所であり、やがて一五世紀から一六世紀にかけて、草庵の茶（侘び茶）が起こり、村田珠光から堺の町衆である武野紹鴎を経て、その弟子の千利休に至って完成され、草庵の茶室も一つ完成形が示されるようになった。利休の作とされる妙喜庵待庵（国宝）は、二畳の小さな空間である。身体をかがめないと入れない躙口（にじりぐち）、丸太を残した柱、一部を塗り残した壁と下地（格子状に組んだ竹）を見せる下地窓など、草庵風の茶室の代表的な要素を見ることができる。

こうした茶室では、亭主と客との間に、それこそ手の平に収まる小さな一碗の茶を介して、極めて濃密な人間関係（一期一会と呼ばれる）が形成される。

なお侘び茶はその後「茶道」として制度化され、家元制度（芸道を家伝として承継する家系）とともに現在まで続く日本の独自な伝統文化となった。茶道は華道とともにユネスコの無形遺産に登録申請される予定と聞く。

城は大きく言えば「武士道」と結びついた城主と個々の武士を身分制に基づいて縦につなぐ空間である。茶室は「わび・さび」と結びついて、身分に関係なく一期一会の横の関係を創り出す独特の空間であった。

これは日本文化の奥行きの深さや広さそして息の長さを示すものではないか。

「金」と「わび・さび」

さらに、これに関連して、もう一つ日本文化の奥行きを示す「金の文化」を付け加えておきたい。

「わび・さび」は、室町時代に始まり茶の湯とともに発展したことはすでに見た。江戸時代の松尾芭蕉の俳句はこれを完成されたものといわれている。しかし「わび・さび」の学術的な解説は難しい。一般的には「心の充足」「静寂の中の奥深さ」「人の世のはかなさ」そして「無常の美」といったものを表し、これこそ、日本の典型的な文化であり人生観になっているというのが日本文化論の通説である。しかし同時にこの頃、あるいはそれ以前からこれまた正反対の文化が日本でも出現していたということを忘れてはならない。それは「金」の文化である。

奈良の東大寺と大仏、鎌倉時代の平泉金色堂、そして室町時代の金閣寺が世界遺産に登録された。金はかけがえのない貴重な資源であり、古来、日本だけでなく世界中で「権力」をデモンストレーションするものであった。その「黄金の輝き」は権威を示すだけでなく、人々を救済するという力を持つとされ、信仰にも決定的な力を与える。大仏、金色堂、そして金閣寺は、まさしく、この権力と信仰が合体したものであることは疑いない。

日本文化論のなかでとても異色な論者である岡本太郎【註4】は、この「金」と民衆の関係について、民衆は東大寺の黄金の大仏をどう見たかという興味深い解説を行っている。「今では黄金の箔は落ち、千年の塵りをかぶってどす黒くなっていますが、あれが真新しくて、金の色に混然と輝いていて光ったものを、すなお単純に喜んだのでしょう。てらいとか、ひねりとかというような近世風の繊弱な神経は、影も見られません」（『日本の伝統』光文社知恵の森文庫、二〇〇五年／初版一九五六年）。

民衆は金の文化を率直に喜んだ。大仏だけでなく、金色堂もそして金閣寺も、民衆はそのまま受け入れて喜び崇拝した。これが岡本太郎の直観である。

しかし権力と民衆の関係は複雑で一直線に対応できるものではない。「わび・さび」の体現者であり、「待庵」の設計者であったと言われる利休は、黄金の茶道具と茶室を創った秀吉によって切腹を命じられた。これは「わび・さび」文化の敗北と見てよいのだろうか。しかし、その直後、栄華を誇った秀吉とその城は家康との戦いで滅ぼされた。一方、利休の待庵と茶の湯は現代まで生き、まさに先に見たように茶室は文化遺産として、茶道は無形文化遺産として、世界に「顕著な普遍的価値」の登録を目指している。

金と「わび・さび」は同時代の文化である。

文化とは本来複雑なものである。それは先に見た「美」と同様に、本質的には「名づけえぬ」ものなのかもしれない。それはシンプルなものではなく、また、個別分野ごとに割り切れるものでもない。それらは相反する文化とも丸ごと絡み合い、時代を超えて、国民の生活の一部となり、変容・修復を繰り返しながら継続されるものである。

姫路城に引き続き、仮に、利休の待庵や茶道が世界遺産に登録されるような時が来れば、世界中の人々は日本文化の奥深さと複雑さの魅力に引き付けられるであろう。

原爆ドーム　負の遺産について

日本文化のなかで、城と茶室に続いて、もう一つ、日本にしかないという世界遺産である原爆ドームについて触れておきたい。日本は世界で唯一原爆による悲惨を被った国である（二〇一一年の東日本大震災による津波は、福島第一原子力発電所の脆弱な施設を襲い、放射能拡散の危険性を世界中に知らしめた)。原爆ドームは、一九四五年の出来事を雄弁に物語る圧倒的な証拠である。このようなものを「文化」と見るかどうか、産業遺産のなかで種々の意見があることは先に見た。確認しておきたいことは、世界はこれを「普遍的価値」あるものと認定し、一九九六年に登録したという事実である。もっともこのような遺産は他の遺産と少し異なり「負の遺産」としてやや特別な扱いとなっている。

負の遺産とは、正式な定義は存在しないようであるが「人類が犯した悲惨な出来事を伝え、このような悲劇を二度と繰り返さない戒めとなる資産」と理解されている。このような資産として、原爆ドームのほかに、奴隷貿易の拠点として世界遺産第一号の一つとなったセネガルのゴレ島、あるいは後に大統領となったネルソン・マンデラ(ノーベル平和賞受賞)が政治犯として一八年間も服役した南アフリカのロベン島の刑務所、ナチス・ドイツがユダヤ人を虐殺したポーランドのアウシュビッツ=ビルケナウの強制収容所、そして核実験が何度も行われたマーシャル群島のビキニ環礁の核実験場跡などがある。これだけを見るといかにも登録されて当然とも思われるのであるが、ここには「政治」が絡んでいて、その評価は実に複雑であり、これが「負の遺産」の大きな特徴となっているのである。

原爆ドームは評価基準(vi)(他の評価と合わせてという但し書き付き)で、「人類史上初めて使用された核兵器の惨禍を如実に伝えるものであり、時代を超えて核兵器の究極的廃絶と世界の恒久平和の大切さを訴え続ける記念碑である」とされた。しかしこの登録にはアメリカと中国によって異論(登録には反対しない)が表明された。

アメリカは、「我々が、第二次世界大戦を終結させるために、核兵器を使用する状況を迎えることになるまでに起きた様々な事件を知ることが、広島で起きた悲劇を理解するうえで重要になる」

とし、中国は、「第二次世界大戦中、アジア諸国、およびその国民たちは侵略や虐殺などのつらい歴史を経験してきた。しかし、現在においても、その事実を否定し続ける人が少数であるが存在する。このような状況のなか、稀有な例といえるかもしれないが、広島平和記念碑の世界遺産登録が、前述のような少数の人たちによって悪用されないとも限らない」と主張した。戦争には勝者と敗者があり、それぞれに正義や戦争の正当性や必然性が語られる。それぞれの立場と状況などによって、参戦の動機や形態が異なる。また各国のナショナリズムやそれぞれの歴史と利害関係などが絡んでいて、その評価は極めて困難になることはいわば当然であろう。

ではこれら負の遺産に目をつむってよいのだろうか。「戦争は人の心の中で生まれるものであるから、人の心の中に平和のとりでを築かなければならない」というユネスコの精神は、負の遺産を登録することによって、物理的にもより明確に平和への意思を明確にするという主張にも共感することが多い。

日本の世界遺産には、原爆ドーム以外にも、戦争による命の破壊に対する鎮魂のなかで、平和への意思を明確に伝える遺産がある。それはあまり知られていないが、平泉の中尊寺大伽藍（浄土）の建設の動機とかかわっている。奥州藤原氏初代藤原清衡（一〇五六〜一一二八）は、鎮護国家のために伽藍を完成させ、落慶法要の時「中尊寺供養願文」を奉納した。

清衡は奥州で起こった「前九年の役」（一〇五一年）で父を失い、「後三年の役」（一〇六三年）で妻子眷属を皆殺しにされた。自らも戦争の指導者として敵を殺し、部下を殺された。中尊寺供養願文はこの戦争をバックに起草された。以下、要約してみる（引用部は佐藤弘弥による朗読のための口語訳）【註5】。

「藤原清衡、かしこまって申し上げます。私は、ここに平和のために中尊寺を建立し、戦の犠牲となった人々を供養したいと思いたちました」。供養のため、お堂、三重の塔、経蔵、鐘楼を建てた。「古来より奥州の地では、官軍の兵に限らず、奥州の兵によらず、戦によって数多の人命が失われました。それだけではありません。毛を持つ獣、羽ばたく鳥、鱗を持つ魚たちなど、罪もなき多くの命あるものたちが訳もなく殺されて来ました。戦で亡くなった御霊たちは、恨み言ひとつ言うこともできず、今はあの世に消え去り、骨も朽ち、奥州の土塊となっております」と述懐する。そして千人の僧が法華経を読経し、五千巻の写経をしたことなどを順に延べ、平泉の現状について報告する。

「今や出羽や奥州の民の心というものは、風に草がなびくように従順になっている。また海を隔てた地の異国の人々とも、平和な交流を重ねております」

「私は、既に六〇歳を過ぎてしまいました。人の運命というものは、天にあるものではございますが、どうして、平和の世を与えていただいたご恩を忘れることができましょう」

清衡は、残っている財貨を洗いざらい擲つ覚悟で平泉をつくったと言い、最後に「平泉中尊寺を訪れる者は、この世の牢獄に繋がれた者も、あの世にいて輪廻の苦しみ中にある者さえ、善き報いを受けて、長い牢獄から解き放たれて自由の身となり、心からの安らぎを得ることが叶いましょう」と結んだのである。

見事な平和宣言である。平泉はこの平和を「浄土」という形で造形した遺産である。これは「負の遺産」にかかわる論争を超えた地平にある日本の偉大なる「文化」と言うべきではないか。

なお、この偉大なる文化に連なるものとして、第二次大戦後、戦争の反省のもとで、新しく制定された憲法を付加しておきたい。憲法九条は「日本国民は、正義と秩序を基調とする国際平和を誠実に希求し、国権の発動たる戦争と、武力による威嚇又は武力の行使は、国際紛争を解決する手段としては、永久にこれを放棄する。二、前項の目的を達するため、陸海空軍その他の戦力はこれを保持しない。国の交戦権は、これを認めない」としている。これも遠くはこの供養願文の精神を受け継ぎ、またユネスコ精神を共有し、「平和」つまり人類の最高の普遍的価値を宣言した偉大なる日本文化として確認しておきたい【註6】。

日本文化論の行方も究極的にはこの「平和への寄与」にかかっているのである。

終わりに

日本の文化論と世界遺産のそれは、ここ五〇年の間に、相互に関係し合いながら今日の「文化」論を作り上げてきている。

ハード面で言えば、例えば日本の文化財保護法は世界遺産の「文化的景観」を導入した。世界遺産も日本の無形遺産などを参照し、無形遺産文化条約を創設し、法あるいは条約のレベルで相互に乗り入れした。ソフト面で言えば、これも本文で見たように「奈良文書」によって、「真正性」の解釈について、石と木の、もっと大上段に言えば、西洋哲学と東洋哲学の融合が図られた。世界遺産のグローバル戦略は、それこそ「産業遺産」という、日本文化論ではほとんど目も向けられなかった分野について、新鮮なアイデアを提供している。いずれ日本も世界遺産の新しい戦略の動向を受けて、ますます多様性を打ち出すようになっていくであろう。

もちろん未来は明るい話ばかりではない。すでに触れたように、最近のＩＴ化の急激な進化は、文化の画一化をもたらす可能性も大である。それは文化の本質的な要素である地域や国ごとの独自性を消失させる危険性も有している。もちろん、ＩＴが新しい文化を創造することも、また地域の個性的な文化の擁護に大きな力を発揮することもありうる。同時に日本の特殊事情（韓国も同じような傾向）を見てみると、世界に例のないスピードでの少子・高齢化時代を迎えていることを付け加えておかねばならない。これによる文化の維持保全の困難あるいは新しい文化の創造に向けてのエネルギーの減退も心配される。もちろん、ここでも使われないまま山林など自然に返っていく大地を活用した新たな文化の創造も期待できなくもない。時代は新しいフェーズを迎え、混沌としているのである。

そこで最後に文化の「創造の源泉」について触れておきたい。

日本の文化には、古墳、神社・仏閣、城、産業遺産など、時の偉大なる権力者、宗教の力、大名、政府と大企業など、力あるものがつくった文化と、縄文、御嶽、潜伏キリシタン、合掌造りなど、庶民が営々として築き上げた文化がある。なかでも私が注目するのは「道の文化」であり、その主役は、信仰を持つ何千、何万、何十万、何千万という人々が、何百年もいや千年にもわたって、ただひたすら歩いて築き上げて作り出した文化を持っている。

ここには現世的な利害は一切ない。ただひたすら自分と近親者の健康と幸福、そして全世界の安寧を願って、歩く行為があるだけなのである。

この日本人の持つシンプルで根源的な文化の力は、おそらくグローバル化や少子・高齢化の時代を迎えても変わらないだろう。ここに日本文化における「日本とは何か」「日本人とは何か」という究極的な問いに対する答えの一つがあるのではないか。

註

1　このデッサンのために、「日本文化論からみた日本の世界遺産年表」（189頁）と、次いで、日本文化論にどのようなものがあるかを知るための「日本文化論・参考文献」を付した。

2　丸山真男『日本の思想』（岩波新書、1961年）および、加藤周一『日本人とは何か』（講談社学術文庫、1976年）などを参照。おそらく「天皇制」は日本の文化史全体を通じる日本最大の「文化論」の中心であり、頂点であり、これなくして日本とは何か、また日本人とは何かも論じられないと思うが、今回はこれには触れない。

3　クリストファー・アレグザンダー『時を超えた建設の道』平田翰那訳、鹿島出版会、1993年

4　岡本太郎の異才ぶりと世界遺産について拙稿「縄文と《太陽の塔》：日本文化の持続あるいは再生を考える」（『BIOCITY』90号、2022年）を参照。

5　五十嵐敬喜、佐藤弘弥『世界遺産 ユネスコ精神』（公人の友社、2017年）より抄録。以下、中尊寺供養願文の引用は同じ。

6　世界遺産に登録されている富士山の麓の広大な「自衛隊演習場」、やんばるの森（沖縄）では返還された「米軍基地」の「不発弾の残留物」、そして明治産業遺産の「徴用工」などの問題が提起されている。近時、「世界の記憶」遺産の分野で、南京大虐殺あるいは慰安婦に関する資料の取り扱いについて、ユネスコが直接対処するのではなく、まず当事者（国）の間で協議し、合意ができた段階で登録するというルールがつくられた。平和の構築へ一歩前進するために、現行ルールを含めてどのようなルールがふさわしいか、世界中の英知を集めるべき時期がきている。

日本文化論・参考文献

［凡例］

本稿で参照した、あるいは論の拠り所とした、あまたの日本文化論をめぐる文献より、比較的入手しやすい文献を選んで刊行年順に並べた。（　）内は初版年（邦訳版は原著の初版年）を表す。

1　日本文化論（総論・通史）

河上徹太郎『近代の超克』冨山房、1979年（1943年）
家永三郎『日本文化史』岩波新書、1982年（1959年）
丸山真男『日本の思想』岩波新書、1961年
梅棹忠夫『文明の生態史観』中公文庫、1998年（1967年）
加藤周一『日本人とは何か』講談社学術文庫、1976年
青木保『日本文化論の変容：戦後日本の文化とアイデンティティー』中公文庫、1999年（1990年）
網野善彦『日本の歴史をよみなおす』ちくま学芸文庫、2005年（1991年）
尾藤正英『日本文化の歴史』岩波新書、2000年
大久保喬樹『日本文化論の系譜：『武士道』から『「甘え」の構造』まで』中公新書、2003年
松岡正剛『日本という方法：おもかげ・うつろいの文化』NHKブックス、（2006年）
遠山淳ほか『日本文化論：キーワード』有斐閣双書、2009年
小谷野敦『日本文化論のインチキ』幻冬舎新書、2010年
大隅和雄『日本文化史講義』吉川弘文館、2017年
藤田正勝『日本文化をよむ：5つのキーワード』岩波新書、2017年

2　日本文化論（テーマ別）
[日本人論]
九鬼周造『「いき」の構造』岩波書店、1930年
折口信夫『折口信夫全集』中央公論社、1966年
土居健郎『甘えの構造』弘文堂、1971年
柳田国男『柳田国男全集』筑摩書房、1989年
[武士道]
山本常朝『葉隠』タチバナ教養文庫、2003年（1906年）
新渡戸稲造『武士道』矢内原忠雄訳、岩波文庫、1938年
宮本武蔵『五輪書』岩波文庫、1985年（1942年）
[風景・風土]
志賀重昂『日本風景論』岩波文庫、1948年（1894年）
和辻哲郎『古寺巡礼』岩波文庫、1979年（1919年）／『風土』岩波文庫、1979年（1935年）
[詩歌・芸術]
西行『山家集』角川ソフィア文庫、2018年（12世紀）
松尾芭蕉「おくのほそ道」岩波文庫、1979年（1702年）
岡本太郎『日本の伝統』光文社知恵の森文庫、2005年（1956年）／『神秘日本』みすず書房、1999年（1964年）
[自然・農業]
安藤昌益『自然真営道』講談社学術文庫、2021年（1753年）
[政治]
福沢諭吉『脱亜論』福沢諭吉選集 第7巻、岩波書店、1981年（1885年）
加藤典洋『敗戦後論』ちくま学芸文庫、2015年（1997年）
[社会・生活]
谷崎潤一郎『陰翳礼讃』角川文庫、2014年（1939年）
中根千枝『タテ社会の人間関係』講談社現代新書、1967年
夏目漱石『私の個人主義』講談社学術文庫、1978年

3　外国人による日本文化論
マルコ・ポーロ『東方見聞録』平凡社ライブラリー、2000年（1496年）
ルイス・フロイス『ヨーロッパ文化と日本文化』岡田章雄訳注、岩波文庫、1991年（1585年）
ブルーノ・タウト『ニッポン』森とし郎訳、講談社学術文庫、1991年（1934年）／『日本文化私観』森儁郎訳、講談社学術文庫、1992年（1936年）
ルース・ベネディクト『菊と刀』長谷川松治訳、講談社学術文庫、2005年（1946年）
司馬遼太郎・ドナルド・キーン『日本人と日本文化』中公新書、1972年
エズラ・ヴォーゲル『新版 ジャパンアズナンバーワン』広中和歌子ほか訳、CCCメディアハウス、2017年（1979年）
カレル・ウォルフレン『日本・権力構造の謎』篠原勝訳、ハヤカワ文庫、1994年（1989年）
ドナルド・キーン『日本人の美意識』金関寿夫訳、中公文庫、1999年（1990年）
ジョン・ダワー『敗北を抱きしめて: 第二次大戦後の日本人』（上下巻）三浦陽一他訳、岩波書店、2001年（1999年）

座談会

日本の世界遺産の歴史と未来像

文化の多様性と日本の役割

松浦晃一郎
岩槻邦男
五十嵐敬喜
西村幸夫

松浦　日本が世界遺産に参加したのは一九九二年、世界では一二五番目。世界遺産条約採択から二〇年後であった。しかし、日本は直ちに世界遺産条約批准国として活発な活動を開始し、第一部の私の原稿で書いたように、一九九四年の奈良文書*採択のイニシアチブを取り、狭き門である世界遺産委員会*のメンバー国にも選出された。その結果、一九九八年末に京都で世界遺産委員会を開くことができた。

世界では一二五番目であったが、現在の日本の世界遺産登録数は二五（文化遺産二〇、自然遺産五）、世界一一位。そう遠くない将来、ベスト一〇に入ると思うが、そのためにはやるべきことがたくさんある。

世界遺産五〇周年並びに日本の世界遺産参加三〇周年を機に、これまでの日本の世界遺産を振り返りながら、今後の日本の世界遺産候補にはどういうものがあり、どういった考えに基づいて世界遺産に推薦していけばいいか、さらに、すでに世界遺産に登録されたものについて、今後の保全、活用について議論したいと思う。

西村　日本の文化遺産の保全については、世界遺産に参加する一〇〇年ほど前から独立した仕組みが整えられていた。そのため、世界遺産条約の批准にあたって、文化財保護関係者の間には、日本で培ってきた独自の仕組みを世界が認めてくれるのかという躊躇があった。例えば、宮大工による木造建築の修理がどう評価されるのか、あるいは、どの文化財がどれほど重要であるかなど、日本の関係者の間では自明なことを、グローバルな視点のなかで位置づけ直すにはどうしたらよいか、といったことである。

木造に関して共通の常識がない海外の研究者に対して、日本の文化財の考え方や、世界に対してどう貢献をしていくのかといった視点を導入し、新たに文化遺産の価値を練り直す必要があった。これは非常に大きなチャレンジであり、世界遺産への参加が遅れた理由の一つにもなった。

実際には、参加直後に申請した姫路城や法隆寺などでは大きな問題はなく、対象が徐々に広がっていくと難しい問題も起こってきたが、そのことも含めて、よい意味で日本文化への見方を相対化でき、日本の文化財が新しい視点かつ新しい思想によって見直されることになったと思う。

いずれにしても、当初は文化遺産よりも自然保護に関わってきた人々のほうが、日本の自然を世界的な価値として認められるように前向きに動き、その動きに押されるように文化遺産の登録が始まった面があった。

自然に関心の強い人々から世界遺産批准への期待の声があがったのは、白神山地と屋久島の自然保護という観点からだった。

白神山地は、青森から秋田へ抜ける青秋道路を造るという道路建設計画に対する保護運動、まさに環境保全運動から出てきた。この動きが、屋久島の自然と文化との結びつきの重要性を問う議論と相まって、二つの課題を含めて世界遺産を日本からも登録すべきだという当時の環境庁からの提起につながった。もし白神山地だけが先行していたら、自然保護運動としての世界遺産登録で本当によいのか、という疑問が起こったかもしれない。

著名な資産が世界遺産に登録されたことでマスコミにも大大的に取り上げられ、文化遺産の登録はどんどん増えていったが、自然遺産は一九九三年に先の二か所が登録された以後、次をどうするべきかという議論はなかった。一〇年後にようやく自然遺産の候補地を選定する検討会が設定された。

そこでは、最初の二か所は課題が先行したという歴史を踏まえ、今後はもう少し学術的な見解に基づいて計画的に登録していくべきだという発想から議論した。

そこで新たに一九か所の候補を選定し、そのうち三候補（知床、小笠原諸島、奄美大島・徳之島・沖縄島北部及び西表島）を、当面登録を推進する候補として提案した。その後約二〇年かかってこれらが登録され、現在は五遺産になっている。

世界に貢献できる日本の文化遺産に

西村　今後の日本の文化遺産の候補は、世界の文化遺産の視点をさらに広げ、世界遺産リストをより完全なものにするために、どう貢献できるのかという視点が重要になる。日本が提案する候補によって、世界遺産におけるミッシング・ピースが埋まるようなものであるべきではないか。

例えば、富士山は文化遺産として世界遺産になっているが、本来であれば複合遺産*であるべき。富士山と同じような形の山は世界には他にもあるが、そのなかで富士山が特別なのは、大都市・江戸の近くにあり、多くの都市民が眺めることによって、文化的な意味が付与された点であろう。しかし、その文化の基底に富士山の自然の美しさがあることは間違いない。その両方を合わせたことで、一つの文化的な景観が現れている。だからこそ、富士山が複合遺産として認められることに、日本は貢献するべきだと思う。

ただし、すでに世界遺産に登録されている富士山を、わざわざ苦労して複合遺産にしようとするのは、現在の行政の仕組みでは非常に難しい。

もう一つ例を挙げると、日本の城、つまり軍事施設が木造であることは、世界的にはまずありえない。大砲が一発当たったら終わりだから。日本の近世城郭は、大砲が日本にもたらされた時点でほぼ役割を終えていた。もし大砲の時代まで戦国時代が続いていたら、城の形は変わっていたはず。事実、ヨーロッパの城は低く、砲弾の力を吸収するような石垣の造りに変わっている。つまり、大きな歴史の流れのなかで見ると、日本の城は大砲の時代へと移る、変わり目の資料になっている。

また、日本は常に大雨、台風、大雪、洪水、地震、地すべりなどに見舞われてきた災害列島と言える。自然によるさまざまなリスクが高い国であり、なおかつ人口が多いために、自然災害が人間と社会に及ぼす影響が大きい。また、河川は他の国にはないような急流であるため、独特な砂防堰堤を造り出した。富山の砂防・防災遺産は、厳しい災害の危険に対して傑出した（アウトスタンディングな）対応をしてきた顕著な例である。

自然災害を防ぎながら住み続けなければならないという日本人が直面する切実な課題は、普遍的（ユニバーサル）な課題でもあり、「顕著な普遍的価値」*という観点から見れば、極めて普遍的な課題に対して、際立って傑出した答えを出した例だと言える。

このように、世界のなかにおける日本の世界遺産の価値を見直してみることで、今後の方向性が見えてくるように思う。

六つ目以後の自然遺産を目指して

岩槻　自然遺産に関しては、二〇〇三年に提案した三件のうち二件が登録されたところで、その次をどうするかという議論があったが、具体的な候補を提起するには至らなかった。

理由の一つは、自然遺産を評価するＩＵＣＮ（国際自然保護連合）*は、世界の植生帯を学術的に区切って、その植生帯のなかで代表的な自然を選ぶという考え方をとっていることと、陸地では約五〇平方キロメートルくらいのスペースをカバーするという前提があるから。白神山地、屋久島、知床、小笠原、南西諸島の五資産で植生帯を代表するところはカバーできてしまうし、日本列島で五〇平方キロメートルの自然が原生状態で維持されている場所を挙げるのは難しかった。

阿寒湖のマリモや鳴門の渦潮はかなりの時間をかけて学術的なデータが準備されていたので、候補として検討すべきだった。しかし、検討するなら、ＩＵＣＮの評価のあり方を修正することを念頭に置く必要があるだろう。

また、日本語で「自然」というと里山などの自然の要素（構成種など）が濃い地域も含むが、ネイチャー（nature）という言葉は原生自然を意味し、（人の営為が生み出した）里山はネイチャーではないと言われてしまう。こうしたことも含めて、ＩＵＣＮの評価のあり方を修正する議論ができる自信もなかった。

五つの自然遺産が登録されたいま、日本の自然遺産は本当にこれだけでいいのかというと、やはり次の候補が議論されて然るべきだと思う。渦潮やマリモという個別の対象だけでは自然遺産にはならないが、マリモと阿寒湖とその周辺地域の自然を合わせたり、マリモに相当する球状の緑藻類のある世界の地域をつないで検討すれば、シリアル・ノミネーション＊が可能ではないか。渦潮も他の地域にあるので、渦潮と潮流を含めたシリアル・ノミネーションを検討する可能性はあるだろう。

また、富士山は複合遺産に相応しい資産と言えるが、戦略として自然遺産の評価に合わせてみると、富士山の自然の多様さは中腹以下で顕著だが、ここは人の居住地域であり、自然遺産のための核心地域を設定することは大変難しい。その他の条件もあって、二〇〇三年の検討会では、直近に自然遺産登録を目指す候補には含まれなかった。

日本には天然記念物の概念が大正時代にドイツから輸入され、文化財の一つとして、シンボリックな巨樹巨木などが指定されてきた。しかし、それでは自然の保全にはつながらないことが、白神山地や尾瀬の問題で顕在化した。

一方で、自然公園的な発想は明治時代からあるし、国立公園は国が担保する自然保全地域としてもっとも重要なものであるということは、日本人の共通認識になっている。

白神山地は国立公園でないのに対して、富士山は国立公園だから、こうした面も踏まえて、複合遺産への登録を改めて考えるべきだろう。

日本の自然遺産は既存の五か所の維持を優先すべきだという考えもあるが、私は、六つ目以後も検討することで自然遺産の意義を考え続けることが必要だと思う。六つ目以後の資産の登録の難しさをどう打開するかも含めて、日本の自然について考えてほしい。

「こころ」の文化論と「もの」の文化論

五十嵐　日本の世界遺産の内容と価値を全体として改めて議論検討してみると、日本とは何か、日本人とは何かということを考える際の大きなヒントが浮かんでくる。

時代順に並べた年表（一八九頁）を見ればわかるように、まず一つ目は、日本の文化遺産は一万五〇〇〇年前の縄文時代から近代の西洋美術館に至るまで、原始、古代、中世、近世、近現代というすべての時代に亘っている。つまり丸ごと日本の普遍的な価値が世界的に認められているということであり、これらは日本の世界遺産、日本文化の大きな特徴ではないか。

二つ目は、世界遺産の内容が非常に多様であること。例えば、ヨーロッパの世界遺産にはキリスト教関係が多い。これに対して、日本には仏教、神道、キリスト教など宗教的に多様であり、奈良・京都のような古典的な文化と富岡製糸場などの近代産業遺産が並立しているし、道や島もある。登録件数が多いだけでなく、バラエティに富んでいる日本の文化の特徴が世界遺産にも表れている。

私はこれまで日本文化論に興味を持ち、少し勉強してきたが、世界遺産を見ているうちに、我々が考えてきたあるいは見てきた日本の文化と、世界遺産の文化論との間に大きな違いがあることに気づいた。端的に言うと世界遺産は不動産、つまり「もの」が中心だが、これまでの日本文化論はそのほとんどが精神や思想、「こころ」を問題にしている。わび、さび、禅の思想も結局は「こころ」にいきつく。

しかし、「こころ」の文化論を「もの」の文化論から再検討してみると、日本の文化の広さや奥深さが新たに見えてくる。これは、世界遺産の文化論が日本文化論に貢献したことの一つだと思う。

三つ目は、逆に、日本の文化が世界遺産に影響を与えた例である。日本の伝統的な考え方は「こころ」と「もの」は一体であるから、世界遺産のように「こころ」と「もの」を分けたうえでの複合遺産という考え方はあまりないように思う。ここは文化とは何かという深い哲学、あるいは思想などにかかわる論点になるが、日本文化論が世界遺産に貢献できるところではないか。

世界遺産が日本文化論に貢献したことと、日本文化の特徴が世界遺産に貢献したところの双方を同じ俎上に載せることで、日本の文化は未来へつながっていくような気がしている。

自然遺産、文化遺産それぞれの課題

松浦　世界遺産の今後を考えるにあたって非常に重要な視点が、いくつも指摘された。

文化遺産に関しては五十嵐さんが指摘したように、「こころ」が対象になりがちな日本の文化論を、不動産という「もの」にどう結びつけていくかがポイントになる。

また、日本の世界遺産は多くの時代に亘っているが、抜けている時代もある。弥生時代の遺跡はまだなく、天皇を頂点とした中央集権的な体制ができた飛鳥・藤原時代もこれからである。武士政権が日本で初めて成立した鎌倉時代も、武士政権そのものを示す不動産が乏しいために頓挫している。

このように、さらにいくつかのものが世界遺産になり、文化遺産をたどることで日本の文化の多様さが見えてきて、日本の歴史の流れがわかるようになることが重要だと思う。

また、現在世界で一一〇〇を超える世界遺産があるが、文化遺産が約八割で、自然遺産は二割にすぎない。

地球温暖化防止などの環境問題に焦点が当たり、自然を保存していくことが重要な課題になっているから、自然遺産の登録について世界全体で努力すべきで、IUCNは現在のルールをもう少し弾力的にする必要があると思う。

岩槻さんの指摘のように、単独での登録が難しい鳴門の渦潮は、ノルウェー、カナダ、イタリア、イギリスなどの渦潮が見られるいくつかの国と組み、国境を越えた（トランスナショナルな）アプローチが有効であろう。

阿寒湖のマリモのように、IUCNの基準を変える努力も必要だが、一気にはできないので、こういった方法で乗り越えていく方法もある。そうすることで、日本だけでなく世界全体で自然遺産を増やしていけるし、自然保全と合致させることができるだろう。

世界遺産の評価基準*の（viii）に当てはまらなくても、ユネスコのジオパークになっているものがいくつもあるし、ユネスコエコパーク（生物圏保存地域）も重要である。一般にはわかりにくい概念だが、重要なのは人と自然圏（生存圏）で、これは世界遺産の評価基準でいえば評価基準（ix）と（x）の生物の多様性に当たる。自然遺産だけでなく、ジオパークやエコパークも含めて全体として自然保全ができるようになれば、それでよいのではないか。

文化遺産については、無形文化遺産を活用することで、文化遺産だけではカバーできないところを取り上げることができる。有形文化遺産と無形文化遺産をさらに結びつけていくことも必要だと思う。

真正性の考え方を拡張した「奈良文書」の意義

西村　二〇〇三年のユネスコ総会で、無形文化遺産保護条約が採択されたことが大きなきっかけになり、世界文化遺産でも無形について真剣に考えるようになった。建造物にしても何にしても、それを造った人たちが存在し、その技術は無形の遺産である。それを抜きに「もの」だけを評価していいのかという大きな問いが発せられるようになった。

特に木造の管理においては、木造技術者が関与する頻度が大きい。具体的には伝統的な大工技術がなければ木造建築は守れないので、無形遺産と並立させることが大きな課題になる。このことが「奈良文書」の真正性のあり方の拡張につながってきた。

というのは、冒頭で触れたように、日本が世界遺産条約を批准する際に文化財関係者が気にしていたことの一つは、木造には維持管理のために人の手が入るので、それについて国際的な理解が得られるかということだった。そこで、九四年に奈良で開かれたオーセンティシティ（真実性・真正性）*に関する国際会議「世界文化遺産奈良コンファレンス」にも、日本の文化財関係者が一枚嚙むことになった。

私もこの会議に参加したが、参加者は奈良の修復の現場を視察した。木材は長年風雨にさらされ続けると部材が傷むので、大工は傷んだ部分だけを取り替え、建築当時と同じ部材を使い、同じ技術で修理していた。さらに、後々にもわかるようにその部材に何年に修理したかを焼印で押していた。また、焼けたまま保存してある法隆寺の金堂を見たことで、日本人がものに対して敬意を払っていることも実感してもらえたと思う。

それまでのオーセンティシティの考え方は、「もの」が技術を象徴しているというものであった。「もの」に全体が含まれているから「もの」を見ればよいというわけで、石造りではわかりやすい考え方だが、木造の場合にはオーセンティックな技術があってこそ、傷んだ「もの」を取り替える行為が許容されることにつながる。技術のオーセンティシティが、「もの」のオーセンティシティと同じくらいに意味がある。会議に集まった専門家のなかにはかなり保守的な人もいたので、修理の現場を見なければ、このことを理解してくれなかったかもしれない。

「奈良文書」では、オーセンティックなものの情報の伝わり方には、「もの」によって伝わることもあれば、技術のなかで伝わることもあるという考え方に拡張した。これは一九九〇年代の文化遺産の思想のなかでは世界的に見ても非常に大きな飛躍と言えるし、いまや多くの人から評価されている。

「奈良文書」以降、「同じように修理しているからよい」と、木造を安直に世界遺産に推薦しはじめるという問題点も出てきたが、思想的な深化という意味では、日本の大きな貢献だったと思う。

松浦　無形文化遺産条約作成については、私がユネスコ事務局長としてイニシアチブを取ったが、西洋の国々は「世界遺産は不動産が中心だから、無形はそれに付随する限りにおいては意味がある。単独の条約は必要ない。無形だけを対象にした『人類の口承及び無形遺産に関する傑作の宣言（傑作宣言）』があるからそれで十分だ」という議論を展開した。これに対して、他の国々から「不動産と結びつかずに、単独で人から人へ受け継がれていくことに価値があるものがある」という声がたくさんあがった。

日本で言えば文楽、能楽、歌舞伎などが典型だが、中国やインドや韓国にもあるし、サハラ砂漠以南のアフリカでは無形の方が中心で、不動産の文化遺産は気候や風土の関係もあり限られている。そうした国々が全面的に支持してくれた。結果的に、地理的に見れば、アジアとサハラ以南のアフリカ対西洋のような構図になり、圧倒的多数で可決された。

重要なことは、考え方が違うことを理解したうえで提携することであろう。無形は人から人へつながる過程でどんどん進化していく、そのことを受け入れる。無形と有形は似た点もあるけれど、違う点を理解して提携していくことが非常に重要だと思う。

文化遺産と自然遺産の融合も課題の一つ

西村　「奈良文書」から一〇年後の二〇〇四年に「大和宣言」*が出された。その時も私は会議に出ていたが、有形の専門家が無形について考えるのと、無形の専門家が考える無形ではかなり大きな差があった。

例えば、日本の民俗学者が民俗のことを考える時は、変化は当たり前だが、海外の無形の専門家も会議の冒頭で「そもそもオーセンティシティは無形の世界にはない」と言うから議論の出発点から噛み合わない。

しかし、無形と有形の専門家が、同じテーマで同じ場所で初めて議論したわけだから、やむを得なかった面もある。そこが出発点になればよいと思ったが、残念ながら、その後議論は発展していない。ここも日本がイニシアチブを取れる分野なので貢献できると思う。

松浦　「大和宣言」からもう二〇年近くになるので、有形と無形の連携をもっと広めていかなければならない。その際、フィリピンのルソン島北のコルディリェーラ山脈の急斜面にある先住民イフガオの棚田群はもっともよい例になるだろう。フィリピンの世界文化遺産第一号（一九九五年登録）であるとともに、イフガオの人々が棚田で収穫を祝う歌が無形文化遺産の第一号にもなっている（二〇〇八年登録）。両者を結びつけたことで、イフガオという先住民の文化遺産が深くわかるようになった。

米の収穫を祝う歌には、日本にも似たような伝統があるので、こうした無形のものを有形のものと結びつける努力をもっと意識するべきだと思う。

岩槻　元来、無形遺産と有形遺産とは別々のものではない。まず世界遺産ができ、後から無形遺産ができたから別になっているが、両者が一体になっているものがあってもいいはず。

また、そもそもこれが有形で、これは無形だと決められるものでもない。しかし、一度仕組みができあがると分けられてしまい、有形のための決め方、無形のための決め方ということになる。そうしなければ、これは有形か無形かと譲り合ったり取り合いになったりするから仕方のない面もある。

文化遺産と自然遺産でも同じようなことがある。ＩＣＯＭＯＳ（国際記念物遺跡会議）＊とＩＵＣＮはそれぞれが評価をし、別々に申請することになっているが、富士山の例のように、本来一緒

松浦　にやるべきものもある。

世界遺産のレベルでは、自然と文化をもっと融合しなければならない。その第一段階として、かつては（ⅰ）から（ⅵ）は文化遺産、（ⅶ）から（ⅹ）が自然遺産となっていた評価基準を一体化したが、いまだに分けて使われている。

富士山の登録の際も、複合遺産にするために（ⅶ）を適用してはどうかと提案した。（ⅶ）は自然遺産を対象にしているから。（ⅸ）と（ⅹ）では問題がないではないが、（ⅶ）は「最上級の自然現象、又は、類まれな自然美・美的価値を有する地域を包含する」だから十分であろう。そもそも日本人の多くは、いまでも富士山は自然遺産だと思っている。

西洋と東洋の対立から文化の多様性の重視へ

五十嵐　哲学者の梅原猛は、有形遺産と無形遺産について西洋哲学と東洋哲学の対立と捉えた。近代の西洋哲学の原点は、人間の自我という問題を確立したデカルトだといわれているが、日本には無我という考え方がある。こうしたことを統合する「人類学序説」のような新しい哲学を構築しなければならないと梅原猛は言っていた。

世界遺産から私が学んできたことの一つは、世界哲学のようなもの、西洋哲学や東洋哲学を超えて世界が一つになるような大きなものの見方を作ることもできるのではないかということ。分類学に留まるのではなく、それらを統合する方向でさらに掘り下げるべきだろう。

松浦　それは重要な点で、哲学的にどう言うかは別として、自然と人間の関係は、人間が自然を支配するのではなく、自然と人間を連続して捉えることが大切だと思う。

それを典型的に表しているのが、サハラ砂漠以南のアフリカの人間と動物が一体化した彫刻であろう。一方で、西洋の典型は、キリスト教的なアプローチで造られたベルサイユ宮殿の庭園。そこには人間が自然を支配するという考え方がある。彼らには、サハラ砂漠の人間と動物を同一に扱う文化は受け入れ難い。

五十嵐　梅原猛が日本の哲学あるいは思想の特徴として端的に言うのは「山川草木悉皆成仏」（草木や国土のように心をもたないものでさえ、仏性があるから成仏するという意）。これが受け入れられれば、有形と無形の分類といったことはすべて統合できるのではないか。

岩槻　二者択一的に分類するのは確かに問題があるし、批判もある。人と自然の共生という考え方は、日本人であれば説明がなくても納得できるが、西洋人は理解できない。それは、山と人との関係を見ればわかる。

西洋の寓話では、山は魔物が住むところで、魔女が住んでいるというイメージ。それを開発して資源として活用することは人間にとって有用であるという考え方が根本にある。一方、日本では山は神様がおわすところで、死んだらそこに行って一体になれる神聖な場所。もっとも、明治維新以降は日本人もグローバル化され、この考え方は薄れてきているが。

西村　日本が世界遺産に参加した当初は、文化遺産に関しては、西洋的な石造文化中心といった性格が強かった。しかし、九〇年代にグローバル戦略*が打ち出されてからは、文化の多様性が強く言われ、西洋の専門家もデカルト的な発想の相対化を意識するようになった。だから、それ以前とは違ういろいろなものが世界遺産になってきたし、「奈良文書」のオーセンティシティの拡張も、その流れのなかにあったと思う。

松浦　私も一九九四年に採択された「グローバル戦略」は、世界遺産にとって非常に重要だったと思う。

変化を許容する無形文化遺産

西村　五十嵐さんの時代順の年表（一八九頁）を見て、文化の多様性という考え方は日本の暫定リストの考え方にもうかがえることがわかる。この年表のなかで、暫定リストに当初からあったのは、法隆寺、京都、奈良、厳島神社、琉球王国、姫路城、日光、白川郷の八資産であるが、このうち、法隆寺、厳島神社、姫路城、日光は誰でも見ればすぐにその価値がわかるスーパー国宝のようなもの。まずそういう発想で選ばれたものがある。

続いて、京都、奈良という古都があり、集落代表として白川郷が挙げられた。次に、京都中心ではない文化ということで琉球王国。アイヌ文化も挙がったが、適切な候補がないということで見送られた。いまから見ると常呂の集落跡（トコロチャシ跡遺跡）などは候補になると思うが、当時は地元から手が挙がらなかったこともあって候補に挙がらなかった。つまり、当初は国を代表する資産群という発想だったが、次第に文化的景観や二〇世紀遺産など、新しい分野の資産を取り上げるようになっていった。

五十嵐　権力の文化か庶民の文化かに分けてみても多様で、例えば、キリスト教の文化は権力側の文化になりがちだが、日本では潜伏キリシタン集落や合掌造り集落といった庶民の文化も入っている。日本という島国にこれほど多様な文化が、時代を越えてあることは大きな特徴と言える。

岩槻　私も同感で、個別の文化遺産も大切だが、日本の世界遺産全体が、結果として非常にバランスよく選択されていると思う。そのことは登録を進める過程でどの程度意識されたのだろうか。

西村　最初は日本全国からでスーパー国宝のようなものを選んだ。その後、地方から世界遺産候補を提案してもらうようになったために、多様性のある文化遺産になった。しかし同時に、選択の基準がとても難しくなってしまった。

松浦　無形文化遺産のリストは、能楽、文楽、歌舞伎、各地の祇園祭、盆踊りなどが入っているが、これと一八九頁の年表とを並べると、日本の文化遺産の歴史がわかる。

五十嵐　ただ、無形文化遺産のリストを見ると、体系的に候補になったというよりも、アトランダムにやった結果こうなったようにも見える。

西村　無形文化財はたくさんあって、申請順を決めることが難しかったので、最初の頃は国指定の古い順に申請していた。ところが、途中から一国の申請数が制限されるようになったため、似たような無形文化財がある場合は、グループとして申請する方針に変わった。

また、当初は文化庁が指定しているもの、つまり、保存団体などがあり、保全の施策が打たれているものに限っていたが、途中から農林水産省が推薦した「和食」のようなものも入ってきた。正月などの行事の際に展開される多様な食文化が「和食 日本人の伝統的食文化、特に新年の料理」としてリストに搭載されたが、和食一般が無形遺産になったと誤解している人が多い。その後、さらに無形文化遺産の対象範囲が広がってしまったため、体系性が見えにくくなった。

松浦　無形文化遺産と有形文化遺産との違いは、有形文化遺産では歴史的な原点を維持する必要があるが、無形文化遺産はどんどん変化していく点である。

例えば、祇園祭の起源である御霊会は九世紀に京都で生まれたが、当時、疫病が流行し、富士山の大噴火、貞観地震による津波など、全国的に地殻変動が続くなかで、怨霊や山の神の怒りを鎮めようとして始まった。しかし現在は、そうした歴史的な経緯よりも全国的にどのように広がっていくかが重要になっている。盆踊りはそのような全国的広がりがあり、しかもそれぞれの地方の人々が参加できる点が無形文化財に適している。世界遺産は見て学び、楽しむことが中心になるが、無形文化遺産の場合は、日本の歴史の流れを作ることが難しく、その地域の人々が参加すること、現時点で、各地方の人たちがどういった無形を楽しんでいるかが重要である。

日本の役割としての途上国のサポート

西村　これまで日本国内でも多様な意見を取り入れながら文化遺産の候補リストを作ってきたわけだが、それだけでは掬いきれないものもある。例えば、近世の大きな回遊式庭園は一つのカテゴリーとして成立しているし、世界の庭園文化に影響を与えている。しかし、「古都京都の文化財」として一部含まれてはいるものの、日本庭園としては登録されていない。しかも、京都の庭園は寺が中心なので規模としては小さい。後楽園や偕楽園、兼六園、栗林（りつりん）公園といった、日本各地にある大規模な大名庭園を取りまとめれば有力な候補になるはずだが、どこかの地方公共団体が日本全国の庭園を取りまとめることは不可能に近い。オールジャパンで考えるしかない。

このように、全国でシリアルに見ると候補になるものが、いまの仕組みからは外れているので、これらを拾っていくことも、今後の文化遺産の候補リストづくりには大切になるだろう。

岩槻　自然遺産について付言すると、既存の五つの世界遺産では、すべての資産で科学委員会が作られ、学術的なデータが構築されている。自然保護のために取り組むだけでなく、学術的に自然と人はどう対応するべきかも含めて、基盤研究にも取り組んできた。研究の規模からできることは限られているが、委員会に参加している研究者などが自主的に科学研究費補助金などの研究資金を得て、研究データを構築している。その意味で、自然遺産は日本の自然に対する理解を深め、高めるという面でも貢献をしてきたと言える。このことは自然遺産の三〇年の歴史のなかに記録しておくべきことだと思う。

また、いろいろな審議会などの委員を務めていると、時に情報がクローズドになったり、丸秘のデータが出てくることがある。しかし、自然遺産に関してのあらゆる議論は、技術的な成果も含めてすべてのデータを公開している。自然科学は公開を原則にしているからだが、自然遺産の議論をすべてオープンにしてきたこの姿勢は、自然科学分野にとどまらず、この国のさまざまな議論の場に広げてよいことではないかと私は考えている。

最後に自然遺産の将来について、日本は、自然遺産への申請の仕方もよく理解していない国の登録をサポートする必要があるだろう。自然遺産の価値を高めていくためには、それも先進国の役割だと思う。かつて日本の資金で、オセアニア地域のエコパーク登録の協力をしたことがあるが、このような活動も広げていくべきであろう。

松浦

そのサポートは文化遺産の候補についても当てはまる。いま世界遺産条約を批准している国は一九四の国と地域であるが、まだ世界遺産をもっていない国が二七あり、このうち二六は途上国。そうした国々に日本としても協力することはとても重要なことだと思う。それは世界各地に存在する人類全体にとって、意味のある文化遺産および自然遺産を世界遺産として認定し、かつ保全していくことを目的としている世界遺産条約の基本的な考え方に沿うものでもある。

今後は、自然と文化を統合し文化の多様性を称揚するこれからの世界遺産へ向け、世界遺産システムのさらなる前進と深化が必要になる。そのために日本が果たす役割は重要であろう。

考古学者の木下正史氏（右端）の案内で、藤原宮跡を視察する「遅い文化を創る会」のメンバー。
右から２番目より、西村幸夫、五十嵐敬喜、松浦晃一郎、岩槻邦男（2019年６月、橿原市にて）

校閲
藤岡麻理子、真下晶子

編集協力
戸矢晃一

世界遺産の50年
文化の多様性と日本の役割

2022年10月10日　初版第一刷発行
2023年２月10日　初版第二刷発行

編著者：松浦晃一郎、岩槻邦男、五十嵐敬喜、西村幸夫

発行者：藤元由記子
発行所：株式会社ブックエンド
〒101-0021
東京都千代田区外神田6-11-14 アーツ千代田3331
Tel. 03-6806-0458　Fax. 03-6806-0459
http://www.bookend.co.jp

ブックデザイン：折原 滋（O design）
印刷・製本：シナノパブリッシングプレス

Printed in Japan
ISBN978-4-907083-78-6

著者紹介

松浦晃一郎 まつうら・こういちろう

1937年生まれ、山口県出身。外務省入省後、経済協力局長、北米局長、外務審議官を経て94年より駐仏大使。98年世界遺産委員会議長、99年にアジア初となる第8代ユネスコ事務局長に就任。著書に『アジアから初のユネスコ事務局長』(日本経済新聞出版)、『世界遺産:ユネスコ事務局長は訴える』(講談社)など。

岩槻邦男 いわつき・くにお

1934年兵庫県生まれ。兵庫県立人と自然の博物館名誉館長。日本植物学会会長、国際植物園連合会長、日本ユネスコ国内委員などを歴任。94 年日本学士院エジンバラ公賞受賞。2007年文化功労者。16年コスモス国際賞受賞。著書に『生命系』(岩波書店)、『ナチュラルヒストリー』(東大出版会)など。

五十嵐敬喜 いがらし・たかよし

1944年山形県生まれ。法政大学名誉教授、日本景観学会前会長、弁護士、元内閣官房参与。「美しい都市」をキーワードに、住民本位の都市計画のありかたを提唱。神奈川県真鶴町の「美の条例」制定など、全国の自治体や住民運動を支援する。著書に『世界遺産ユネスコ精神　平泉・鎌倉・四国遍路』(編著、公人の友社)など。

西村幸夫 にしむら・ゆきお

1952年、福岡県生まれ。國學院大学教授、東京大学名誉教授、日本イコモス国内委員会前委員長。専門は都市計画。著書に『都市から学んだ10のこと』(学芸出版)、『西村幸夫 文化・観光論ノート』(鹿島出版会)、『県都物語』(有斐閣)、『世界文化遺産の思想』(共著、東大出版会)など。

藤岡麻理子 ふじおか・まりこ

1981年東京都生まれ。國學院大学准教授。筑波大学大学院修了。政策研究大学院大学研究助手、横浜市立大学グローバル都市協力研究センター特任助教等を経て、2021年4月より現職。専門は文化遺産学、歴史的環境保全。

逞い文化を創る会

日本の世界遺産についての諸課題を自由な立場で論議し、健全な展開につなげることを目指し、松浦晃一郎、岩槻邦男、五十嵐敬喜、西村幸夫の4名によって、2008年に組織された。文化の振興を期待することから、世界遺産(とくに登録をめざす資産)を取り上げ、その普遍的価値を見出し、国際的な基準に照らし合わせて、どのようにアピールしていくかを、歴史・社会・文化・思想・自然など多様な視点から議論し、シンポジウムや講演、執筆、出版などを通して提言する。毎年、世界遺産・未来の世界遺産シリーズを刊行し、最新刊は『近世日本の教育遺産群を世界遺産に』(2021年3月刊)。

巻末資料

世界遺産関連年表
用語解説

藤岡麻理子

世界遺産関連年表

藤岡麻理子 編

凡例

・世界編では、大きな出来事のほか、本書に出てくる遺産に関する事項を掲載

・日本編では、主な出来事および自然・文化遺産25件の名称と登録年を掲載

［世界編］

1946	ユネスコ創設
1948	国際自然保護連合（IUCN）創設
1960	ヌビア遺跡救済キャンペーン開始
1964	ヴェネツィア憲章採択
1965	国際記念物遺跡会議（ICOMOS）創設
1972	世界遺産条約採択
1975	世界遺産条約発効
1977	世界遺産条約履行のための作業指針採択
1978	世界遺産リストへの登録開始
1979	アジアで最初の世界遺産の誕生
1992	ユネスコ世界遺産センター設置 文化的景観を世界遺産リストへの登録対象とすることを世界遺産委員会で決定
1993	文化的景観として価値が評価された最初の世界遺産の誕生
1994	奈良文書（オーセンティシティに関する奈良文書）採択
1994	グローバル戦略採択
1997	人類の口承及び無形文化遺産に関する傑作の宣言の採択
2000	地域グループごとの定期報告の開始
2002	世界遺産条約採択30周年、「世界遺産条約履行の戦略的目標」採択（ブダペスト宣言）
2003	無形文化遺産条約採択
2004	大和宣言採択
2005	世界遺産条約作業指針の大幅な改定 　奈良文書を反映したオーセンティシティの検証項目の採用 　自然遺産と文化遺産の登録基準の一本化
2007	アラビアン・オリックスの保護区（オマーン）の登録削除
2009	ドレスデンのエルベ渓谷（ドイツ）の登録削除
2012	世界遺産条約採択40周年、「京都ビジョン」採択
2021	リヴァプール海商都市（英国）の登録削除

［日本編］

1988	竹下登首相（当時）が国際文化交流を三本柱の一つとする「国際協力構想」を発表
1990	日本自然保護協会が「世界遺産条約の早期批准に関する意見書」を国に提出
1992	世界遺産条約を批准
1993	法隆寺地域の仏教建造物（文化）、姫路城（文化） 屋久島（自然）、白神山地（自然）
1994	「世界文化遺産奈良コンファレンス」（奈良会議）の開催と奈良文書の採択 古都京都の文化財（文化）
1995	白川郷・五箇山の合掌造り集落（文化）
1996	原爆ドーム（文化）、厳島神社（文化）
1998	世界遺産委員会を京都で開催 古都奈良の文化財（文化）
1999	日光の社寺（文化）
2000	琉球王国のグスク及び関連遺産群（文化）
2003	世界自然遺産候補地に関する検討会
2004	文化財保護法に文化的景観を規定
2005	紀伊山地の霊場と参詣道（文化） 知床（自然）
2006	世界文化遺産候補の自治体公募（～2007）
2007	石見銀山遺跡とその文化的景観（文化）
2011	平泉―仏国土（浄土）を表す建築・庭園及び考古学的遺跡群（文化） 小笠原諸島（自然）
2012	世界遺産条約採択40周年記念会合を京都で開催
2013	新たな世界自然遺産候補地の考え方に係る懇談会 富士山―信仰の対象と芸術の源泉（文化）
2014	富岡製糸場と絹遺産群（文化）
2015	明治日本の産業革命遺産　製鉄・製鋼、造船、石炭産業（文化）
2016	ル・コルビュジエの建築作品―近代建築運動への顕著な貢献（文化）
2017	「神宿る島」宗像・沖ノ島と関連遺産群（文化）
2018	長崎と天草地方の潜伏キリシタン関連遺産（文化）
2019	百舌鳥・古市古墳群（文化）
2021	奄美大島、徳之島、沖縄島北部及び西表島（自然）
2021	北海道・北東北の縄文遺跡群（文化）

用語解説（50音順）

藤岡麻理子 編

遺産影響評価　Heritage Impact Assessment, HIA

文化遺産や自然遺産の価値に影響を及ぼすような開発事業等が計画される際に、予め、その影響を調査、予測、評価し、遺産保全と調和した事業計画にしていくための仕組み。世界遺産に関しては、世界遺産の地区内、バッファゾーン、さらにその周辺地域での事業等が対象に成り得、世界遺産の顕著な普遍的価値にどのような影響が及ぶかが評価される。同様の目的で、より広範に環境や社会への影響を扱う環境影響評価制度も用いられるほか、個別事業の上位にある政策・計画・プログラムを対象とする戦略的環境影響評価も遺産に配慮した持続可能な発展を図る手法となる。環境影響評価は1960年代末以降、世界各国で制度づくりが進み、日本でも法令に基づき地方公共団体が実施しているが、遺産影響評価は2010年代以降に広く注目されるようになった新しい仕組みである。ICOMOSは2011年、IUCNは2013年にそれぞれ遺産/環境影響評価を行うためのガイダンスを発行しており、2022年にはそれらを統合、発展させた新たなガイダンスがリソースマニュアルとして世界遺産センターとICCROM、ICOMOS、IUCNにより発行されている。

インテグリティ(完全性)　Integrity

すべての世界遺産リストへの推薦資産が満たすべき要件であり、資産とその価値を伝えるあらゆる要素が損なわれることなくすべて揃っていることをはかるための指標。顕著な普遍的価値を表現するために資産の範囲が十分であり、必要な要素がすべて含まれていること、開発や管理放棄による負の影響を受けていないことが問われる。当初は自然遺産にのみ適用されていたが、2005年より文化遺産にも求められている。

オーセンティシティ(真実性／真正性)　Authenticity

評価基準（i）～（vi）のいずれかに基づき世界遺産リストに推薦された資産が顕著な普遍的価値を有することを証明するために満たすべき要件の一つ。「形状・意匠、材料・材質、用途・機能、伝統・技能・管理体制、所在地・周辺環境、言語・その他の無形遺産、精神・感性、その他の内部要素および外部要素」といった多様な属性を通し、その資産の文化的価値が真実であり信頼できるかがはかられる。

グローバル戦略　Global Strategy

正式名称は「世界遺産リストにおける不均衡の是正および代表性・信頼性確保のためのグローバル・ストラテジー」。世界遺産リストにおける地域間やテーマ間、文化と自然の不均衡等を是正し、地域やテーマにおいて高い代表性と高い信頼性をもつリストにしていくことをめざした文書。1994 年に世界遺産委員会で採択され、以後、文化的景観、産業遺産、文化の道等の新しいカテゴリーの世界遺産の登録が推進されてきた。

顕著な普遍的価値　Outstanding Universal Value, OUV

文化遺産や自然遺産が世界遺産リストに登録されるために備えるべき要件。世界遺産の10の評価基準の一つ以上を満たすこと、真実性と完全性の要件を満たすこと、適切な保存管理を行われていることのすべてが証明されることで顕著な普遍的価値をもつとみなされる。

国際記念物遺跡会議　International Council on Monuments and Sites, ICOMOS

建造物、遺跡等の主に不動産の文化遺産の保護に関わる国際的な非政府組織。1964年に採択されたヴェネツィア憲章（記念物と遺跡の保存と修復に関する国際憲章）の精神を実現していく組織として1965年に設立された。150か国以上から1万人を超える専門家が参画している。世界遺産委員会に助言を行う諮問機関の役割を担う組織として、世界遺産条約本文に定められており、文化遺産と複合遺産の登録についての助言、登録後の管理状況の評価、関連する諸研究等を行っている。

国際自然保護連合
International Union for Conservation of Nature and Natural Resources, IUCN

1948年に設立された、国、政府機関、非政府組織で構成される国際的な自然保護ネットワーク。1400以上の組織および世界160か国以上からの18000人を超える専門家が参加している。世界遺産委員会に助言を行う諮問機関の役割を担う組織として、世界遺産条約本文に定められており、自然遺産・複合遺産の登録についての助言、登録後の管理状況の評価、関連する諸研究等を行っている。

シリアル・ノミネーション／プロパティ　Serial nomination/ property

地理的につながっていない二つ以上の資産を一つのテーマのもとに明確に関連づけ、全体として顕著な普遍的価値を有する一つの資産（シリアル・プロパティ）として世界遺産リストに推薦する手法。構成資産一つ一つが顕著な普遍的価値をもつことは求められない。

世界遺産委員会　World Heritage Committee

世界遺産条約締約国の中から互選で選ばれた21か国で構成される政府間組織。委員国選出にあたってはさまざまな地域と文化を代表するよう考慮される。年1回開催され、世界遺産リストと危機遺産リストの管理、世界遺産リスト登録資産の保全状況、世界遺産基金の利用等について審議し、決定を行う。

世界遺産条約履行のための作業指針
Operational Guidelines for the Implementation of the World Heritage Convention

世界遺産条約の履行を促すために、世界遺産委員会でまとめ、採択しているガイドライン。世界遺産リストと危機遺産リストへの登録に関する基準や手続き、モニタリングや定期報告等の世界遺産リスト登録資産の保護と保全、世界遺産基金に基づく国際援助等について詳細に定めている。1977年に28節から成るものとして採択されたが、世界遺産委員会での決定を反映させるため定期的に改定されており、現行の作業指針は290節で構成されている。

世界遺産センター　World Heritage Centre

1992年に設置されたユネスコの一部署であり、世界遺産条約の事務局。

世界遺産の評価基準　Criteria for the assessment of OUV

世界遺産リストへの推薦資産が顕著な普遍的価値をもつかを判断するための指標の一つで世界遺産条約作業指針に示されている。当初は文化遺産の登録基準（i）～（vi）、自然遺産の登録基準（i）～（iv）として設けられていたが、2005年より両者が統合された評価基準（i）～（x）となった。文化遺産は（i）～（vi）、自然遺産は（vi）～（x）のうちいずれか一つ以上を満たすこと、複合遺産は、（i）～（vi）と（vi）～（x）の両方から一つ以上を満たすことが求められる。

奈良文書　Nara Document on Authenticity

1994年に奈良市で開催された国際会議「世界文化遺産奈良コンファレンス」で採択された文書。文化と遺産の多様性が認められ、オーセンティシティの考え方が拡張された。文化遺産の価値は、固定された基準により評価されるのではなく、資産固有の文化的文脈において評価されるべきと記されている。

バッファゾーン　Buffer zone

資産の保護のため、世界遺産を取り囲む地域に設けられる保全地域。バッファゾーンを設定しない場合は、それが必要ではない理由を世界遺産への登録推薦書に記載することが求められる。バッファゾーンには、法的手法や慣習的手法により利用・開発規制がかけられることになる。

複合遺産　Mixed heritage

文化遺産としての価値と自然遺産としての価値の両方が認められた世界遺産。

文化的景観／連想的文化的景観
Cultural landscape / Associative cultural landscape

人間と人間を取り巻く自然環境の相互作用の多様な表れを受け止める概念であり、1992年に作業指針を改定することで世界遺産条約に導入された。文化的景観として登録される世界遺産は「人と自然の共同作品」に相当する文化遺産となる。人間と自然の関わり合いのかたちの違い等により、①人間の意志により設計され、創出された景観、②有機的に進化してきた景観（すでにその進化が止まっているもの、および、その進化のプロセスが継続しているもの）、③信仰や芸術、文化的営みと強く関連する連想的文化的景観、の三つの類型がある。日本では2004年の文化財保護法改正により、文化財の新しいカテゴリーとして文化的景観が導入されたが、世界遺産条約とはその対象に違いがある。

大和宣言
Yamato Declaration on Integrated Approaches for Safeguarding Tangible and Intangible Cultural Heritage

「世界文化遺産奈良コンファレンス」から10周年を記念し、2004年に奈良市で開催された専門家会議「有形文化遺産と無形文化遺産の保護――統合的アプローチをめざして」で採択された文書。会議は有形文化遺産と無形文化遺産の専門家が一堂に会し、有形・無形の文化遺産の統合的な保護について議論する場として企画された。宣言文書では、有形文化遺産と無形文化遺産の相互依存が認められるとともに、各々の保護へのアプローチの独自性も謳われている。